GW00569985

Narratori ◀ Feltrinelli

Giovanni Montanaro
Il libraio di Venezia

© Giangiacomo Feltrinelli Editore Milano
Prima edizione ne "I Narratori" novembre 2020
Settima edizione ottobre 2022

Stampa Grafica Veneta S.p.A. di Trebaseleghe - PD

ISBN 978-88-07-03412-1

FSC
www.fsc.org
MISTO
Carta
da fonti gestite in
maniera responsabile
FSC® C021883

Per le citazioni:

José Saramago, *Il viaggio dell'elefante*, traduzione di Rita Desti, Feltrinelli, Milano 2015;
Nazim Hikmet, *Poesie d'amore*, traduzione di Joyce Lussu, Mondadori, Milano 2006;
Stefan Zweig, *Il mondo di ieri*, traduzione di Lavinia Mazzucchetti, Mondadori Oscar, Milano 2017.

www.feltrinellieditore.it
Libri in uscita, interviste, reading,
commenti e percorsi di lettura.
Aggiornamenti quotidiani

IL RAZZISMO
È UNA
BRUTTA STORIA.
razzismobruttastoria.net

Il libraio di Venezia

A Venezia, all'angolo tra campo San Giacomo e calle del Tentor, c'è una piccola libreria, di quelle che ti sorprende che esistano ancora, nonostante tutto quello che succede. Eppure, ce ne sono così in ogni città, tenaci come guerrigliere, eleganti come principesse. Sembrano tutte simili, ma quando si entra non ce n'è una uguale all'altra.

La libreria di San Giacomo è di due sole stanze, ma ci si può perdere come nel labirinto di Minosse. Sopra robusti scaffali di legno scuro, milioni di parole si rincorrono tra le pareti come pesci nell'oceano.

Il libraio si chiama Vittorio; non si è accorto di aver passato i quarant'anni, ne dimostra meno. È nato in mezzo alle montagne, in un paesino del Cadore dove non vive quasi più nessuno. Delle Dolomiti, ha l'energia delle tempeste e la timidezza del tramonto. Forte come Ercole, sposta senza fatica casse zeppe di volumi fino all'orlo, ma quando prende un libro in mano è come se cullasse un bambino.

Adesso che sono tornate di moda le camicie di flanella a scacchi (che io trovo ridicole), lui ne indossa sempre una. Veste jeans sdruciti, calza scarpacce robuste. Se si rimbocca le maniche, dall'avambraccio spunta un tatuaggio, le zampe sgualcite di un leone (strabico).

Vittorio è bello, ma come certi uomini che non sanno di esserlo, che per saperlo hanno bisogno di una donna che glielo dica. Le guance sempre rasate, il busto da pugile, quella specie di nonchalance che dà l'abitudine a leggere, il fumo dell'unica sigaretta che accende ogni giorno, dopo pranzo, con inquietudine.

Una volta andavo spesso da lui, adesso quasi mai.

Vittorio è arrivato qui a diciannove anni per studiare Economia, ma non ha mai preso la laurea. Ha incontrato una ragazza irlandese che lavorava in una galleria d'arte in piazza San Marco. Lei l'ha baciato due volte, una hanno fatto l'amore, poi l'ha lasciato e gli ha regalato un'edizione di Melville. Lui non era tanto abituato ai libri, ma *Moby Dick* ha cominciato a leggerlo subito, la notte stessa, come fosse un modo per farla restare, e si è accorto di non aver mai letto niente così. All'improvviso, gli sembrava di comandare una nave, ungere gli arpioni, lustrare i banchi delle lance. La vita, da un giorno all'altro, gli è sembrata più grande, più avvincente, e gli sembrava anche di capirla meglio, qualcosa in più di prima. Ha smesso di frequentare l'università, ha trovato un lavoro in un negozio al Lido e l'ha fatto apposta a cercarlo lontano da casa; il tragitto in vaporetto da Riva de Biasio gli consentiva due ore di lettura al giorno. E anche se non aveva voglia, se aveva scelto un libro che non gli piaceva, guardare fuori dai finestrini era bello uguale; si immaginava l'America, l'oceano dove avvistare balene.

Quel continente lo attraeva; ha cominciato con Roth e DeLillo, Masters e Whitman, Auster ed Ellis, e per un certo periodo ha sognato di vivere nel Maine. Non è mai partito, però, benché continui a vestirsi come se sgomberasse legnaie nel Vermont.

Da quasi vent'anni, Vittorio è il libraio di San Giacomo. La libreria l'ha chiamata Moby Dick, anche se all'irlandese non ci pensava più, anche se qui c'è l'acqua, ma non c'è l'oceano di Nantucket.

Lui abita poco distante, dove ha sempre abitato fin da studente, in una soffitta di corte dell'Anatomia che guarda i tetti rossi di Venezia, i Frari, il corpaccione della Fenice. La sua vita è quella che voleva; a essere librai non si diventa ricchi, ma non si vive mica per quello, e se dovessero chiedergli se è felice, Vittorio risponderebbe di sì.

Anche perché adesso si è innamorato.

Venezia è sempre bellissima.

Sarà la laguna, il profumo di sale dell'Adriatico che ti stordisce appena arrivi. Saranno i colori, il cielo che all'improvviso esplode, sconfinato e struggente come un amore inatteso. Saranno i ponti, i dipinti, le pietre, i palazzi, le vere da pozzo, i campielli dove capiti per sbaglio. Saranno le leggende, le storie. La gente ruvida e furba. L'Oriente, l'Occidente, il loro incontro aspro e pigro.. Sarà che è fatta per viverci, che è stata costruita quando il mondo era della misura degli uomini. Che si incontra la gente per strada, che prima o poi ci si vede senza appuntamenti. Che è democratica, perché ci si va a piedi, tutti quanti, sotto la stessa pioggia, con lo stesso vento.

Sarà che ti sembra sempre che stia per finire.

Che ti sembra impossibile, che tutta questa bellezza, questa ricchezza possano durare per sempre. Perché la città è fragile, in pericolo, pare che nessuno la capisca, che tanti vengono a farle del male, le orde dei turisti che paiono una pompa da giardino sfuggita di mano, l'incuria, il cattivo gusto, i veneziani che la svendono, i negozi con i pesciolini che ti mordicchiano i piedi e quelli che vendono caramelle fluorescenti.

Ma forse è il mondo che è in crisi, che non sa dove sta andando, che peggiora.

O forse sono io, la vecchiaia, quel sentimentalismo un po' sciatto così meno prezioso del cinismo spavaldo della gioventù. San Giacomo è bello, il campo più bello della città.

Ci sono un cartolaio e un ferramenta, una ragazza che ha un negozio di zaini, un venditore di pianoforti, qualche osteria, la pizzeria, un gruppo che organizza un mercatino, proietta vecchi film. Decine di bambini giocano a calcio, ogni pomeriggio, e ce n'è uno più basso degli altri, con la maglietta di Lautaro (forza Inter!); ha i capelli a spazzola, dribbla, segna, diventerà anche un bell'uomo se impara a pettinarsi.

Perfino il campo, però, è cambiato molto negli anni.

Dove c'era il negozio di alimentari, un ragazzo vende vetri con il logo *Made in Murano* fatti in Asia, e poi orribili statuette di Cristiano Ronaldo e di Trump, della regina d'Inghilterra (che mi sta sempre più simpatica), e accendini, gondole di plastica, brutta bigiotteria, tutte cose che non servono a niente, a uno che abita qui.

L'edicola l'ha presa un ragazzo del Bangladesh, che a venticinque anni ha quattro figli ed è l'unico che ha voglia di svegliarsi tutte le mattine alle quattro. È gentile, benché non capisca la nostra lingua. E io per fortuna non capisco la sua, visto che ascolta a tutto volume musiche piuttosto monotone, che spero non inneggino al jihad.

Una quindicina d'anni fa ha chiuso anche la merciaia, una donna eccezionale, e da quindici anni le saracinesche della bottega sono abbassate, con scritto sopra ALL'ARREMBAGGIO.

All'inizio del campo, lì dove c'era un negozio che vendeva lavatrici e televisori, c'è il bar di Chung. Ci lavorava la sua famiglia, ed era un po' liso e un po' losco, come uno si immagina un bar di cinesi. Poi però Chung l'ha imbiancato, ristrutturato, ma ha deciso comunque di tenere i prezzi bassi, e così è frequentato dagli anziani del sestiere di Santa Croce, perché è uno dei pochi in cui i più vecchi non vengono guardati male se occupano un tavolino ordinando solo un espresso. E poi c'è un mistero, da Chung, che davvero non mi spiego: fanno dei toast squisiti.

E infine ecco la Moby Dick, all'angolo del campo, ancorata come la baleniera *Pequod*, i quattro alti gradini per entrarci, come a issare una zattera, la vetrina piena di libri, Proust, Mann, le novità, il Lorenzetti, *Venezia è un pesce* di Scarpa, *Civiltà di Venezia*, *Quante Venezie* di Cesare De Michelis, i volumi su Tiziano e Tintoretto, Bellini e Guardi, Cadorin e Vedova, l'Atlante del mondo. È aperta tutti i giorni, anche la domenica. E spesso la luce è accesa fino a sera tardi, perché se Vittorio si mette a leggere non si accorge del tempo che passa.

Conosco quasi tutti quelli che ci vanno.

Ci va sempre un professore di matematica delle medie, uno di quelli che indossa un paltò acquistato prima del rapimento di Moro e non sa spiegarsi perché non ha vinto il Nobel. È un brav'uomo, con il difetto della noia (peggio è solo vestirsi male). Parla a Vittorio della moglie che l'ha lasciato, che secondo me ha fatto bene.

Ci va una ragazzina che si sente Greta Thunberg, spettinata; è una di quelle di buon cuore, che pensa poco a sé stessa. Veste assurde gonne pantalone kaki, per fortuna evita le trecce alla Obelix.

Ci va un ragazzino che ha pochi soldi, il papà beve, gioca alle macchinette dal tabaccaio. Vittorio lo sa e ogni tanto gli regala un libro, che per lui è prezioso come il Graal.

Ci va una coppietta di mezz'età, esili come acciughe, sembrano Carlo e Camilla; sono in crisi da sempre, ma non si mollano e nemmeno si tradiscono (io lo saprei).

Poi ci sono gli studenti dell'università, i bambini che si fanno comprare Peppa Pig, qualche rumorosa famigliola di turisti, i tanti che si materializzano solo a Natale per i regali, un indipendentista catalano professore a Barcellona che suda troppo, un signore elegantissimo, con la cravatta anche d'estate, una coppia di olandesi che hanno preso casa in Rio Marin e stanno imparando l'italiano. Ogni tanto entra anche il parroco, perché non ha più nessuno con cui parlare.

Vittorio è felice di fare il libraio.

È che quando fa i conti, a fine mese, s'accorge che vende meno libri di una volta, di quando ha aperto. E non è solo quello, è che tutto è diventato complicato; prestiti, fidi, autorizzazioni e permessi, resi, fatturazione elettronica, ritardi nelle spedizioni, tassa rifiuti, inventari. Forse è colpa di Amazon, forse di Netflix, forse degli smartphone, che tutti ci stanno incollati dalla mattina alla sera.

Non è che manchino le idee, a Vittorio, lui si dà da fare. Cura il negozio, gli scaffali, il tavolo in mezzo. La sua libreria non è grande, non può avere tutto, ma se cerchi un libro che non ha, Vittorio si fa in quattro per procurartelo il prima possibile, e poi ti fa scoprire i libri che non cercavi, quelli che non sapevi di volere (sono in debito con lui per Somerset Maugham). Ritaglia le recensioni che gli piacciono, le incolla su dei cartoncini e ai suoi clienti ha dato la tessera fedeltà. Ha classici e novità; da lui trovi i best seller, ma anche libri di piccoli editori sconosciuti. E quando entri, Vittorio ti saluta sempre e ti sorride. Ha inventato una rassegna di presentazioni, la gente riempie il campo fino a tardi per ascoltare poesie, qualche volta organizza un concertino jazz, invita autori italiani a parlare dei loro libri (la gente fa domande assurde), e poi ha una pagina facebook (che leggo sempre) che pullula di suggerimenti, ci posta un articolo di Piperno, della Mazzucco, una vecchia intervista a Philip Roth, e fa lui delle classifiche. In libreria ha creato una sezione in lingua inglese per i turisti, piccola ma c'è, vende belle guide di Venezia, scintillanti libri fotografici, e qualche oggettino di gusto, qualche ricordo della città creato da artigiani locali. Mi ha detto che gli piacerebbe aprire una caffetteria, un punto di ristoro, per invogliare la gente a entrare, e a rimanere.

Ci crede ancora Vittorio, anche se fuma sempre più nervoso la sua sigaretta quotidiana. È che quando gli capita di prendere il vaporetto, o l'autobus per Mestre, o di andare a Calalzo in treno a trovare suo padre, si guarda intorno e si accorge che nessuno legge più i libri.

Ma lui non si perde d'animo, non è proprio il tipo.

Esco poco, ormai, specie adesso che è autunno.

Passo le giornate in casa, vicino alla finestra.

Mi stringo nel cappotto, schiudo l'anta, poi mi tiro un po' indietro, perché non mi si veda bene, perché nessuno pensi che origlio le conversazioni da basso, che invece è esattamente quello che voglio fare. Quello che faccio sempre.

Spiare la gente mi diverte.

Eccola, la vita, questa cosa piccola che passa per il campo.

Ecco Vittorio che aspetta il suo amore, e gli pare impossibile, lui che l'ha aspettato tutta la vita, che arrivi proprio adesso, che gli pare tardi, e non ci crede.

Ecco una comitiva di turisti, veloci e larghi come bufali nella prateria; ogni tanto mi domando cosa vengano a fare, perché tanto la calpestano e basta, senza nemmeno alzare lo sguardo. Eppure anche loro, ciascuno di loro, avrà un amore, un dolore che si porta appresso.

Ecco le donne ossute che lavorano in Sovrintendenza a rio Marin, bevono il caffè e si lamentano dei maschi, che conoscono male. Ecco Chung, che parla poco, che ormai pochi guardano con diffidenza anche se continua a parlare male, a scatti, la nostra lingua. E poi una ragazzina tormentata, i capelli arruffati, una cartella più grande di lei, chissà se ha un'interrogazione che incombe, o magari ha fatto qualche pasticcio, che i pasticci dei giovani sembrano sempre più grandi di quello che sono.

Ecco due ragazzi che corrono, ma che corrono piano, forse stanno per perdere un treno, ma chissà, forse corrono solo per divertimento, per sentirsi più vicini, un poco diversi dagli altri che camminano.

Come siamo tutti fragili, tutti buffi.

E come va avanti la vita, sempre, in qualche modo.

Sofia mi piace molto; è svelta di testa e di lingua.

Ha la carnagione olivastra, gli occhi celesti dal taglio zingaro. Indossa collane colorate, orecchini grandi di vetro, vistosi e leggeri insieme. Porta capelli lunghi, che sfidano l'umido di Venezia; all'altezza delle spalle prendono curve lievi. A seconda di come si veste, di come si sente, Sofia ogni giorno pare diversa; è il Maggio parigino o la Scozia di Ivanhoe, una carovana berbera o l'America's Cup. Indossa gonne molto lunghe, o molto corte. Ha gambe snelle ma toniche, da sciatrice. È magra, i seni piccoli. Disegna bene, ha compiuto vent'anni da poco.

Ha vissuto un anno a New York lavorando in un ristorante cinese per mantenersi, girando la città, volando spesso a ovest con i soldi guadagnati. È tornata e si è iscritta a Lingue orientali.

È entrata lei, una volta, alla Moby Dick.

Vittorio si ricorda quel momento. Venti settembre, sei del pomeriggio. Sofia arriva diretta dalla spiaggia; ha i capelli asciugati dal vento, un vestito verde acqua, gambe nude con una traccia di sabbia sulla caviglia, una borsa ampia di tela, da cui sbuca un asciugamano bianco e giallo.

"Ti dispiace se guardo un po' in giro?"

"Basta che poi non ordini il libro su Amazon."

"Dipende se il libraio mi sta antipatico," ha replicato sorridendo.

Vittorio ha seguito con lo sguardo la linea del corpo; lei ha la magrezza della gioventù, ma da qualche parte, sulle guance, nel modo di camminare, è già una donna. Vittorio si immagina che abbia studiato danza, per come punta i piedi quando si ferma.

"Sei veneziana?" le chiede.

"Sì. Tu?"

"Sono cadorino, ma vivo qui da vent'anni."

"Sono entrata un paio di volte, un po' di tempo fa. Non mi avrai notata. Ho comprato un fumetto, non un granché. Una cosa sul dio egizio della morte."

"Anubi?"

"Sì. Non metteva di buonumore. Chissà perché l'ho comprato, ma la verità è che faccio tantissime cose di cui mi pento subito dopo. Lo trovo divertente." Vittorio le sorride, lei chiacchiera. "Ah, se senti per caso di un monolocale anche minuscolo... Vivo ancora con i miei ed è una tragedia."

"Ci sono appartamenti universitari in campo Nazario Sauro."

"È che io vorrei vivere da sola. Non lascio mia madre per una pugliese che si porta un uomo ogni sera e la mattina è in lacrime."

Entra un cliente, con quegli occhialetti tondi di moda, coloratissimi (nel caso, gialli), di quelli che indossano i ristoratori per sentirsi intellettuali. Vittorio si allontana, "Scusami un attimo," dice a Sofia, "Bella libreria," si complimenta quello appena entrato, "Grazie", "Sto cercando qualcosa sul cibo bio", e Vittorio gli mostra la sezione di cucina, anche se gli piange il cuore vendere più Cannavacciuolo (che pure è il più simpatico degli chef) di Dostoevskij. Ma il libraio è distratto, cerca di capire dove è finita Sofia, se la immagina davanti allo scaffale della poesia (Vittorio è un melenso), vorrebbe andare da lei, la ragazza l'ha messo di buonumore. Sente un poco di eccitazione, di malizia, la cerca con gli occhi ma Sofia esce di fretta, il telefono le suona.

Avrà un fidanzato, riflette lui, sconsolato.

La ragazza torna spesso, però, nei giorni successivi.

Gli ha detto il suo nome e lui ha pensato che gli piace. Sofia, la sapienza. Viene quasi sempre verso sera. Vittorio è contento, emozionato, si rende conto di volerle piacere, ma sa di non essere un gran seduttore. Se lei non si fa vedere, quando chiude la giornata va a casa fischiettando canzoni romantiche (finiscono tutte male, il vecchio frac che scivola lentamente nel fiume, "*Signore, chiedo scusa anche a lei*"). È malinconico, ma elettrizzato. È un bel momento, quando ti piace una persona e non sai come va a finire, e Vittorio si gode questa primavera dei desideri, questo suo cuore che fiorisce. È da tempo che una donna non lo colpisce così. Ne è divertito, intrigato, e non pensa che lei sia troppo giovane per lui; pensa invece agli occhi, alle labbra carnose al centro e sottili ai lati, si immagina la forma dei piedi, dei capezzoli. E poi si ricorda le parole che usa, che gli sembrano sempre esatte, migliori delle sue:

"Ti vedo un po' inquieta oggi," le dice.

"Sei proiettivo."

Anche dopo che lei se n'è andata, rimane il profumo; una scia animale, sublime, un richiamo di caccia. Sente solo quello, a lungo, anche se poi entrano altre donne.

Con il passare dei giorni lei diventa meno sbrigativa, ormai si trova a suo agio lì dentro. Si ferma a lungo: "È terapeutico stare qui".

Sofia prende i volumi dagli scaffali, li sfoglia, li ripone, se vede una pila storta la raddrizza, pareggia i dorsi con le dita, e lui è contento che lei li tocchi, come appartenessero a tutti e due. Si rende conto che i libri sono i suoi alleati, che per conquistarla la sua brigata saranno Emily Dickinson e Pierre Roché.

"Quando un autore mi piace, leggo tutto quello che ha scritto," le dice lui.

"Io invece sono un grillo," risponde lei. "Mi annoio molto facilmente. Tu, piuttosto: perché hai deciso di fare il libraio?"

"Perché sono un pazzo!"

"Che risposta banale. Dimmi se è bello."

"È faticoso."

"Nemmeno questa è una risposta."

Vittorio ci pensa. "Bellissimo. Non saprei se c'è un mestiere più bello."

"Spiegati meglio, dai su, fai un piccolo sforzo per me."

"Mi piace che i clienti siano felici dei libri che gli ho consigliato. Mi piace che pensino che li ho capiti, quando trovo quello giusto per qualcuno, come fossi il commesso che scova la giacca che ti fa sentire bene. Mi piace quando arrivano i cataloghi, se c'è una nuova traduzione di Jane Austen o l'ultimo romanzo di un autore italiano che seguo, Fois o Trevisan, Roveredo o Matteucci. Mi piace capire cosa scrivono i veneziani, e i cadorini. Mi piace conoscere gli autori, anche se poi a volte scopro che avrei preferito conoscerli soltanto attraverso i loro romanzi. Mi piace non mettere in evidenza i libri che non riesco a leggere, anche se sono di successo. Mi piace quando arrivano gli scatoloni delle novità. Leggere l'incipit."

"Qual è il tuo incipit preferito della letteratura?"

Vittorio finge di riflettere, ma sa già la risposta. Ci ha pensato spesso, anche se nessuno gli ha mai fatto quella domanda. "Credo quello di *Libera nos a Malo* di Meneghello: 'S'incomincia con un temporale'. La vita porta sempre qualcosa che non ti aspettavi, o che non ti aspettavi così."

"Io non me li ricordo mica, i libri che leggo. Figurati gli incipit."

Nelle loro chiacchiere si dicono piccole cose, inezie, come fossero monete che mettono da parte insieme. Sono due figli unici. Adorano i film Marvel. Sono territoriali: trovano antipatiche a pelle le persone simili a loro. Non amano la liquirizia.

Vittorio è stupito che Sofia, che ha vent'anni meno di lui, sia già stata così a lungo in America, dove lui sarebbe sempre voluto andare senza poi comprare mai il biglietto.

"Che libro mi consigli?" chiede lei.

"Vuoi una bella storia d'amore?"

"Esistono?"

"Sì."

"Secondo me solo in letteratura. Al massimo su Netflix."

Vittorio osserva gli scaffali. Si accorge che lei un poco gli piace, che il libro è un modo per dirle qualcosa che non sa dirle. *Le notti bianche*? Un disastro di destino. *L'amore ai tempi del colera*? Splendido, ma il titolo non gli pare adatto. *I promessi sposi* non può consigliarlo. *Via col vento* nemmeno, anche se è un gran libro. Passerebbe per vecchio, e lui non si sente vecchio per niente.

"Prendo questo," dice lei all'improvviso. È un saggio sulla Venezia del Novecento. "Mi ha incuriosito."

"Dicono sia ottimo. Racconta di Porto Marghera, dell'inquinamento, di quando a piazzale Roma c'era il più grande garage d'Europa. Del progetto del Mose per fermare l'acqua alta che va avanti da cinquant'anni..."

"Io preferivo Peggy Guggenheim, Klimt e gli artisti. Speriamo non sia noioso. Altrimenti mi rimborsi?"

"Per te potrei fare questa eccezione."

Lei va verso la cassa, lui vorrebbe farle un regalo ma poi

si dice che non è il caso, lei penserebbe che vuol fare il pia-
cione (e avrebbe ragione). Se la sbriga con uno sconto e un
segnalibro in omaggio.

"Già mi tratti come una cliente affezionata?"

"Sì."

"Lavorerò per un po' al bar di Chung. Quando vuoi passa a prenderti un caffè."

Mi sveglio di soprassalto, col batticuore.

Suonano le sirene, e io non riesco ad abituarmi al loro suono. Entrano nella notte, all'improvviso, come a trovarsi un animale in casa, un insetto enorme. Ululano, latrano dalle cime dei campanili. Sono lì dai tempi della Seconda guerra mondiale, annunciano il pericolo. Chi non è abituato si immagina un bombardamento, un esercito, e invece è l'acqua.

Questa volta non ho nemmeno sentito il suono del messaggio di allerta del Centro Maree che arriva in anticipo, per avvisarti. Il telefono si è spento, devo metterlo in carica, mi alzo e mi quieto un poco, non voglio farmi prendere dall'ansia; d'altra parte è già novembre, sta arrivando il tempo dell'acqua alta, è ovvio che la marea torni insidiosa come ogni autunno. Ogni volta viene, ogni volta va; di solito disturba appena, è un fastidio lieve.

Mi affretto verso la finestra, il campo è vuoto. Nessuna luce, nessuna apprensione, Venezia dorme. Le sirene tornano, ancora, più acute, e mi accorgo che mi è passato il sonno; sono vigile.

Tendo le orecchie, per sentire il fischio esatto, che a seconda dell'intensità avvisa dell'altezza. Sì, ci sarà acqua alta, domattina, ma non sarà niente di particolare, poco più di un disturbo.

Non c'è niente da fare, con l'acqua.

Quando ero giovane mi piaceva.

Mi pareva una magia, quando si prendeva la città. Mi sembrava fosse giusto; la natura mi sembrava saggia, a ricordare ogni tanto che potremmo dovercene andare all'improvviso, che ci sono energie più forti di noi, con cui convivere, da rispettare. Mi pareva una lezione bella, struggente. Persino divertente, a volte. E il riflesso della città sull'acqua aveva qualcosa di infantile, ancestrale. Era come una continua gravidanza, un futuro pronto. Ma adesso l'acqua non mi piace più. Sarà che è diventata più cattiva. Sarà che è come se mi sentissi in colpa, non so perché, come se pensassi che l'abbiamo svegliata da un sonno infinito, che abbiamo fatto qualcosa di male, l'abbiamo provocata.

Un lungo sibilo, seguito da un altro; no, la misura non sarà troppo alta. Ma qualcosa mi turba comunque, non riesco a riprendere sonno, a quest'età non è facile, ci si sveglia sempre del tutto. Resto immobile alla finestra. Passa l'edicolante, passano due ubriachi in smoking che rientrano da una serata poco prima che finisca la notte. Mi siedo alla mia poltrona, gioco sul telefonino, guardo se c'è qualche promozione su Zalando.

È l'8 novembre, l'acqua sale all'alba, nessuno è in giro. La riva tracima verso il campo, dove si vede qualche pozza, più che altro delle risorgive dei tombini, che formano piccole chiazze sui dislivelli della pavimentazione. Arrivano le prime persone, anche senza stivali si riesce comunque a girare, conoscendo le strade, sfruttando le passerelle che ogni mattina vengono disposte per camminare all'asciutto nei tratti più bassi. La città è diseguale, i veneziani sanno dove si può passare e dove no.

"Cominciamo anche quest'anno," dice Vittorio sbucando fuori dalla libreria.

"Non riuscirò mai ad abituarmi," risponde il venditore di pianoforti; è un orchestrale di Senigallia, di aspetto allegro, vestito di colori sgargianti, due ali di capelli ai lati del cranio calvo.

"In qualche modo passerà."

"Ovvio, se ne va sempre. Non è mica lo tsunami."

I Gherardi non mi piacciono.

Sono una di quelle classiche famiglie veneziane che vantano nell'albero genealogico funzionari del governo dogale e capitani di marina, incesti e malattie mentali, nostalgia per la Serenissima e un'overdose di eroina.

Quando Vittorio ha aperto la libreria, alla fine degli anni novanta, il proprietario del fondo era il signor Alvise, che andava a messa ogni mattina salvo il martedì, quando prendeva l'Intercity per Milano per incontrare l'amante, una ballerina di Canale Cinque.

Adesso il proprietario è Alvise junior, e io lo osservo ogni giorno alle undici, quando attraversa il campo con una borsa Spalding a tracolla per andare in palestra a Santa Margherita. È un uomo simpatico, che non si è mai sposato ma mantiene un paio di figli avuti da donne diverse.

"Vittorio! Come stai?"

"Bene, grazie dottor Gherardi. E lei?"

"Sono in gran forma. Oggi un'ora di panca."

Alvise junior si siede davanti alla cassa: "Sai che sto pensando di andarmene da Venezia?".

"Dopo otto secoli?"

"La città non c'è più."

Vittorio sbuffa. Sente spesso quei discorsi, sa che hanno un fondo di verità. Sa che ci sono troppi turisti, che i bed&breakfast sono dovunque, colonizzano le case dei veneziani come eserciti di formiche, e così ci sono sempre meno residenti. Ma gli pare anche che Venezia resti sempre bella. E poi si oppone spesso all'opinione degli altri; quando chiacchiera gli piace il tennis, non il tandem. "Ma dov'è che vivrebbe meglio?"

"Non qui a Disneyland. Non ti sembra che i turisti ti guardino come il pupazzo di Topolino? È troppo fragile, Venezia. E poi è in mano a degli incompetenti. Se mai dovessi avere dei figli," dice, perché non considera quello in Brasile e quello a Giacarta, "non vorrei che crescessero qui. E non è neanche Venezia il problema. È l'Italia. Ma non ti accorgi dei politici che ci governano? È gente che fa fatica con i congiuntivi."

"Ha ragione, ma non credo ci siano posti migliori."

"Vorrei andare a Londra."

"E la Brexit? E le tensioni sociali? E gli attentati terroristici?"

"Ma c'è un altro spirito. C'è il futuro. Noi non siamo più gli stessi. Una volta costruivamo ponti, navi, sapevamo governare la laguna, ricacciavamo i Turchi indietro nel mare. I Turchi, hai capito?"

Nazim Hikmet!

A Vittorio è venuto in mente all'improvviso.

Nazim Hikmet, il poeta turco, uno dei suoi preferiti.

In libreria ha sempre una copia delle poesie.

Amo in te
l'avventura della nave che va verso il polo.
Amo in te l'audacia dei giocatori, delle grandi scoperte.
[...]
Entro nei tuoi occhi come in un bosco

pieno di sole
e sudato affamato infuriato
ho la passione del cacciatore per mordere nella tua carne.

Ecco cosa deve fare!
Regalerà a Sofia quel libro, la prossima volta.

Il più bello dei mari
è quello che non navigammo.
Il più bello dei nostri figli
non è ancora cresciuto.
I più belli dei nostri giorni
non li abbiamo ancora vissuti.
E quello
che vorrei dirti di più bello
non te l'ho ancora detto.

Vittorio non ascolta più Alvise junior che si lamenta dell'aeroporto "che i low cost hanno rovinato", della sporcizia, dei topi "grandi come gatti siberiani", della maleducazione, dei fast food, dei veneziani che sono commercianti, dei veneti ignoranti, dei meridionali scansafatiche, delle ragazze dell'Est "finito soldi finito amore", degli americani "tutti obesi", dell'islam "che ci invaderà con i passeggini", delle donne sudamericane che vogliono rimanere incinte per poterti ricattare tutta la vita e di quelle di Giacarta che ti mollano da un giorno all'altro.
Hikmet!
Hikmet funzionerà.
È tornato il silenzio. Alvise junior ha terminato la sua filippica. Lui è sempre così: parla molto, si lamenta di tutti, non compra mai un libro. "Alla prossima!" dice, ma subito fa un passo indietro: "Ah, scusami, mi stava sfuggendo di mente. È per l'affitto".

"Il bonifico le arriverà domani."

"Sì, certo, sei sempre puntuale, più o meno. Ma non è quello. È che siamo nel 2019, no? Sta finendo il decennio, che impressione, chissà cosa succederà nel prossimo, visto che questo non è stato mica granché... Ti ricordi che a metà dell'anno prossimo scade il contratto?"

"Certo, dobbiamo firmare il nuovo."

"Esatto! Ero qui per questo. Eccolo qui il contratto nuovo, dacci un'occhiata, se va bene me lo ridai firmato. Ok?"

"Benissimo."

"Ah, scusami, mi stava sfuggendo di mente anche questo. Vedrai che è previsto un piccolo aumento... lo sai che paghi la stessa cifra da dieci anni?"

Vittorio lascia la busta di Gherardi in un cassetto; non ha voglia di aprirla subito, preferisce prendersi un caffè. Prima che arrivasse Sofia, al bar di Chung ordinava solo un espresso ogni tanto per mantenere i rapporti di buon vicinato (Chung per ricambiare gli ha comprato una storia universale del balletto che gli sembrava sufficientemente costosa).

Adesso invece dal cinese ci va ogni giorno, ci passa una mezz'ora a gigioneggiare (cosa che gli viene malissimo), e non gli importa che tutti si accorgano subito che lo fa per la ragazza.

Anzi, gli piace che la gente pensi che tra di loro c'è qualcosa, anche se per il momento non c'è niente (o forse non è vero, qualcosa è già cominciato, non è mai certo il momento in cui tutto comincia, forse dal primo sguardo, anche se dopo bisogna aspettare, anche se le cose non vengono mai subito).

Dalla mia finestra vedo Vittorio che esce dalla libreria, si specchia nella vetrina, si passa una mano tra i capelli, che mica cambiano pettinatura così, ma lui si sente un poco più in ordine. Si sistema il colletto della camicia di flanella (il che è un controsenso) e procede veloce verso il bar, pensando a cosa dire per fare colpo su Sofia.

È l'11 novembre, anche oggi c'è acqua in giro. Poca cosa, niente di grave, giusto un fastidio, bisogna fare lo slalom tra qualche pozza o fare dei piccoli salti (cosa che ovviamente a me non riesce più). Ma sono giorni strani. L'acqua resta lì, non se ne va mai del tutto, i canali sono gonfi.

La giornata è fresca, non fredda.

Vittorio arriva da Chung: il cinese ha disposto i tavolini all'aperto; tovaglie bianche, sedie di acciaio, ottuagenari con il Merlot alle dieci del mattino. Chung è lì come un bonzo magro, la pettinatura Kim Jong-un, lo sguardo sospettoso. Vittorio lo saluta, scambia due parole e si infila dentro. Dietro il bancone, Sofia ha un aspetto esotico, è abbronzata e subito Vittorio si sente ai Caraibi; a Venezia è facile pensare di essere sempre in vacanza, dall'altra parte dell'oceano, con l'arcobaleno che fa la laguna ogni tanto, la luce che si riflette sulle sue pietre antiche.

La ragazza sta chiacchierando con la pizzaiola, una cinquantenne bionda, muscolosa, che da vent'anni fa pizze sottili in calle del Tentor (le ho detto decine di volte che sono migliori le napoletane).

"Domani dicono 140 centimetri," fa la pizzaiola.

"Ho letto," interviene Vittorio. "Alta sia la mattina che la sera."

"Prima c'era un cliente," interviene Sofia, "a cui ho dovuto spiegare che la misura si calcola sul medio mare, che non vuol dire che c'è tutta quell'acqua, non è che bisogna nuotare per attraversare la calle; alla misura che viene registrata, gli ho detto, devi togliere 80, 100, 120 centimetri a seconda delle zone."

"Ma 140 è molto alta. Qui in calle arriva al ginocchio, e a

me allaga tutta la pizzeria. Domani ho deciso di star chiusa, pazienza. Da te, Vittorio, entra?"

"Con la paratia sono a posto fino a 180."

"Speriamo che non duri a lungo, l'acqua."

"Altra cosa che ho dovuto spiegare," aggiunge Sofia, "è che non è che stia tutto il giorno, la marea, al massimo un'ora. Alla fine ci mancava poco che prendesse appunti. Era tipo un giornalista."

"Sì, ma è comunque un bel disagio."

"Sei ore cresce, un'ora sta ferma, sei ore cala."

"Sono le undici, vado a impastare."

Vittorio appoggia le braccia al bancone. Lui e la ragazza si guardano negli occhi.

"Cosa prendi?"

"Un caffè."

"Un altro? Deve proprio piacerti il mio caffè."

"Oggi non riesco a svegliarmi."

"Chissà cosa combini di notte!"

"Leggo. Tristemente leggo."

Tremilaottocento euro al mese.

È quasi il doppio di quello che paga.

È l'art. 7, "Canone di locazione". Tremilaottocento euro al mese. Ha letto e riletto la cifra, sperando di sbagliarsi. Sono tantissimi soldi, non può farsi carico di un importo del genere. E chi lo paga poi l'affitto di casa?

Vorrebbe scrivere subito un messaggio ad Alvise junior. *Ci dev'essere un errore*, oppure *Credo che lei sia impazzito*, oppure *A questo punto facciamo diecimila, tanto diamo numeri a caso!*, ma non scrive niente. No, dev'essere paziente. Abile. Deve negoziare.

O forse dovrà trasferirsi?

Con la disponibilità che ha sul conto corrente, con i soldi

dell'avviamento, magari un aiuto da suo padre, potrebbe pure aprire una nuova libreria, ma dove? Come si fa a togliere la scritta d'oro, MOBY DICK, e a caricarsela sulle spalle? E poi lo sa che Chung paga molto più di lui, che i prezzi ormai sono impazziti.

Vittorio chiude la porta.

E se avesse sbagliato tutto?

Si accende un'altra sigaretta. Il telefonino vibra. Ha ricevuto un sms dal Centro Maree. È l'11 novembre, ore 15.04: *14.30: peggioramento previsioni, domani 140 cm ore 10.00 – 145 cm ore 23.00.*

Dormo poco, ormai.

Di notte continuo a pensare. Alle scarpe. Alle offerte di blazer che trovo online. Spesso, ai telefilm, ai romanzi che piacciono adesso, omicidi splatter dentro cattedrali medievali o orge improbabili in lussuosi superattici. Mi paiono spesso delle stupidaggini; trattano gli esseri umani come animali da zoo.

Ogni tanto penso a com'era il mondo una volta, quand'ero giovane io.

Mi domando se era migliore, o peggiore.

Mi ricordo Venezia; sporca, felice, popolosa. Forse no, non era migliore. Ma c'era più speranza, e non so davvero dov'è finita.

Forse, però, il mondo era molto simile.

Forse il mondo è sempre stato lo stesso.

E questa città è sempre la stessa.

Lei, l'acqua, l'equilibrio e la battaglia.

Il 12 novembre il telefonino vibra alle 6.11, l'sms conferma le previsioni della sera prima: *140 cm per oggi 12/11 alle ore 10.00.*

L'igrometro segnala che la casa è piena di umidità, il barometro che la pressione è bassa. Faccio qualche passo, provo a tornare a dormire, ma non ci riesco. Alle sette sono in piedi, prendo i giornali sotto la porta, leggo qualche pagina del "Corriere", del "Gazzettino". Faccio colazione, il cornetto della pasticceria di rio Marin è pieno di marmellata, come piace a me. L'alba è arrivata, ma è fioca, è poca cosa; non mi convince.

Non ho voglia di affacciarmi dalla finestra e so bene perché. Per fastidio, perché sento che c'è già l'acqua, ce n'è tanta; si sente nell'aria, si sente dal silenzio. Non ci sono i passi, i trolley, le chiacchiere, solo lo sciabordio funereo degli stivali di gomma. È tutto affogato, ovattato, sinistro, e non c'è nessuno in giro.

È una desolazione.

Il campo è sommerso, anche se la marea è più bassa di quanto era stato annunciato. Lo so, conosco le soglie della calle, la porta di casa mia, le misure di ogni negozio, ogni gradino di pietra d'Istria, l'ingresso della chiesa. Anche se è tutto sotto, quest'acqua non è di 140 centimetri. È meno alta, e me lo conferma il telefonino; si è verificato un miglioramento delle condizioni atmosferiche, si è fermata a 127.

L'acqua scende, a pranzo non c'è più.

C'è comunque poca gente in giro, è novembre, martedì, le frotte di visitatori giornalieri vengono preferibilmente nel weekend, e questo non è il periodo delle comitive. C'è un suonatore che stona i Beatles; un paio di canzoni e se ne va (per fortuna, ha una voce stridula). Il professore di matematica si intrufola da Vittorio e sta lì un'ora a spiegare l'effetto dei millibar di pressione atmosferica sulla marea. La pizzeria non ha aperto, e nemmeno l'edicola (evitando il sovrapporsi di *Let It Be* e salmodia del Corano). Chung sta bevendo una spremuta (aspra) a un tavolino del suo bar deserto.

L'acqua tornerà in serata, quando sono attesi altri 140 centimetri, ma, dice il Centro Maree, la situazione è in aggiornamento, "da codice rosso".

I negozianti non sono preoccupati, piuttosto annoiati, stanchi. Novembre è un mese difficile, l'acqua viene ogni anno, almeno qualche volta; bisogna organizzarsi, spostare, pulire. I più esperti parlano del fenomeno sotto le mie finestre, suggeriscono soluzioni tecniche: "Il sito dell'Ispra è buono per vedere il livello dell'Adriatico, che poi si traduce in quello in laguna".

"Il medio mare è stato calcolato alla fine dell'Ottocento; adesso il mare è più alto di almeno trenta centimetri."

"Surriscaldamento globale."

"La laguna l'hanno distrutta gli scavi."

"Sì, ma a Marghera c'è il porto, non puoi chiuderlo."

"E le crociere?"

"Io non sopporto le Grandi Navi."

"A me piacciono, invece."

"Danno lavoro a migliaia di persone."

"E inquinano come migliaia di fabbriche."

"L'importante è lavare subito quello che l'acqua bagna."

"Se non hai altre protezioni, metti davanti alla porta una tavola di legno con la schiuma poliuretanica, la trovi giù dal ponte."

Vittorio ha già montato la sua paratia di metallo, si sente abbastanza sicuro, la sua soglia è 180 centimetri, solo nel 1966 l'acqua è stata più alta di così, solo una volta nella storia. Il libraio ipotizza di spostare un paio di scaffali, quelli più bassi, più che altro per scaramanzia, ma poi decide di no, gli sembra uno scrupolo inutile. Chung ha l'uscio più basso, a 140 la marea gli entra, aveva già sistemato per la mattina ma adesso ha più angoscia, la notte gli sembra infida, al buio è più difficile organizzarsi, sul pavimento ha la lavapiatti industriale, il frigorifero, qualche altro macchinario, deve cercare di tirare su tutto quello che può. È da stamattina che fa avanti e indietro dalla riva portando in spalla tavole di legno per alzare gli elettrodomestici in modo che non siano a rischio.

Il più inquieto è il ragazzo che vende vetro taiwanese. Ha aperto da poco, non è veneziano di laguna, abita in terraferma, non sa cosa aspettarsi. Ma ha scaffali di ferro e oggetti di plastica, cose che si sciacquano facilmente. Deve stare attento ai cavi, ai fili, al pos, tutt'al più.

Tutti fanno cose senza far niente. Il tempo passa piano, elettrico, e la gente parla poco, nessuno scherza. Mi stringo nel maglione, sento freddo, così alzo il riscaldamento a 22 gradi, anche se costa un patrimonio.

A metà pomeriggio arriva un vento forte, a folate, si infila tra i rami del campo, ma dura poco più di dieci minuti, subito si ritira. Scruto l'orizzonte ancora una volta, non ha colori diversi dal solito; mi pare però che non si vedano colombi, uccelli, che gli animali siano spaventati. Ma poi mi dico che non sono un druido, devo smetterla di riflettere, meglio cercare una gonna su Yoox.

Le sirene ricominciano verso il tramonto.

Alle 19.01 arriva un nuovo messaggio, la previsione delle

18.30 che conferma una volta di più le precedenti. *Cm 140-145 per 12/11 alle ore 23.00. Marea eccezionale, codice rosso.*
Chung adesso è rilassato: ha messo ulteriormente in sicurezza le sue cose, ben oltre quella soglia. Vittorio è sull'uscio della libreria. Fuma un'altra sigaretta, è nervoso, ma forse è più che altro per Sofia, oggi aveva il primo esame, vorrebbe sapere com'è andato.

La ragazza degli zaini parla con qualcuno che conosce; non è il fidanzato, anche se credo ne abbia più di uno.

"Se arriva a 150 centimetri è una disgrazia. Mi entra in negozio. Sì, sì, certo, bisogna anche avere fortuna. Non posso fare più di così."

Altre voci vengono dal bar, ma non le riconosco.

"Hai i mobili di legno?"

"Sì. E per quanto tu faccia, un po' si rovinano."

"Ci siamo abituati, ormai."

"Sì, ma è un'assurdità doversi abituare all'acqua, con tutti i soldi che abbiamo speso in salvaguardia."

"Il Mose è uno scandalo."

"Speriamo almeno che entri in funzione presto."

"E che funzioni! Sarebbe un sogno se non ci fosse più l'acqua alta."

Alle sette e mezzo la misura va verso il metro.

I canali sono colmi, pieni fino all'orlo, come se la marea precedente non si fosse svuotata, e presto un liquido verdastro invade le calli, il campo. La salita è narcotica. Vado alla finestra. Centoquarantacinque centimetri è tanto, farà danni, ma ci si è organizzati, è più o meno quella che si aspettava anche per la mattina. La città sbadiglia, si chiude, scendono le saracinesche dei negozi. Chung saluta una coppia che prende lo spritz al Cynar, il venditore di pianoforti accorda uno Steinway che ha in esposizione, Vittorio fuma la quarta sigaretta della giornata e poi va a casa. Il ragazzo dei vetri taiwanesi si avvia verso Mestre. Arriva invece un uomo con una zazzera bionda, il latin lover del campo (cinquantacinque anni); ha un magazzino al pianterreno. Lavora fuori Venezia, è appena rientrato, controlla di nuovo le scale dove ha stipato quegli oggetti che ha paura si rovinino, perché sa che tanto l'acqua, se non è entrata la mattina, entrerà la sera; documenti, scarpe e scarponi da sci, una cassapanca di legno, una chitarra, altre cose che si conservano nei magazzini, e poi chissà, forse anche lettere d'amore a cui di sicuro non ha mai risposto. Calle del Tentor spegne le sue luci. Alcuni tornano a casa con gli stivali, altri se la cavano con qualche schizzo sui pantaloni, pochi turisti arrivano impreparati ed entusiasti, a mollo con le scarpe da ginnastica dentro quello che sembra loro un incantesimo. Quelli che ridono troppo, però, mi innervosiscono; prendono questa città come fosse uno spettacolo, un meme.

Mi preparo da mangiare.

Per un'ora, l'acqua continua la solita ascesa, centimetro dopo centimetro, un alpinista prudente che sale una croda. Ma arriva già a 130 dopo le nove, potrebbe crescere per un'altra ora, forse due. Supererà i 150, ormai me lo sento. Fisso davanti a me nel vuoto, c'è di nuovo quel silenzio, l'acqua è dappertutto, continuerà a salire, entrerà inesorabile nei pianterreni, nei negozi, dentro le case, nei magazzini, forse persino in chiesa, e sarà una notte difficile. All'improvviso, però, succede qualcosa di inaspettato, sento un colpo fortissimo venire da fuori. Non faccio in tempo ad alzarmi che ne sento subito un altro, e un altro ancora, vengono dalle mie finestre che si sono aperte e sbattono. Vado in soggiorno. Quando arrivo ai vetri vedo che c'è buio, un nero strano, luminoso, e ho una sensazione difficile da spiegare, di minaccia, come se il cielo fosse un gigantesco cane famelico, e mi guardasse. Vento così l'ho visto poche volte in vita mia. Vento così non l'ho mai visto con l'acqua alta. Le cime degli alberi si agitano, i tronchi larghi, che parevano di marmo, cominciano a oscillare, il cestino dei rifiuti in mezzo al campo si è già rovesciato, rotola lento sull'acqua mentre si sparpagliano dei fogli, un barattolo, piatti di plastica, il torsolo di una mela masticata. Viene uno scroscio di pioggia, nel giro di pochi istanti diventa un fortunale, la finestra si riempie d'acqua, faccio fatica a guardare attraverso, vorrei chiudere gli scuri, ma gli infissi tremano, un rigagnolo passa i serramenti vecchi, bagna il legno, si fa giallo sul muro. Vado alle finestre che affacciano in calle. Qui non piove di stravento, si può osservare meglio. È cambiato tutto, è successo qualcosa. L'acqua cresce molto più velocemente di quanto ci si aspettava, di quanto dovrebbe fare. Prendo un punto di riferimento; la soglia della pizzeria. L'acqua è sotto di un dito, ma in meno di un minuto la oltrepassa, entra dentro, allaga il pavimento. Mancano tre ore alla massima, è troppo alta per fermarsi alla quota prevista. Alle 21.32 arriva la previsione, la situazione è cambiata, saranno 160 centimetri alle 23.00; solo nel 1966 la marea ha superato quella soglia, spero che Chung sia stato previdente, è sempre questione di centimetri se entra, se morde uno scaffale, ingoia uno scatolone, addenta un filo elettrico.

Il vento infuria. È gelido, impetuoso, fa onde, folate, spuma, una mareggiata al largo di un oceano. L'acqua non l'ho mai vista così: sembra cattiva. Va via la luce e l'oscurità dilaga. Sento qualcuno che grida, non riconosco la voce. Cerco il mio telefonino, accendo la torcia.

Le sirene suonano ancora, i fischi si susseguono sempre più acuti, arrivano al massimo, urlano. Nel buio vedo una sagoma che arranca con l'acqua alle ginocchia: è Vittorio! Anche lui sembra stupito dall'intensità del vento. Anche lui di sicuro si starà domandando cosa sta per capitare. L'acqua continua a salire e sarà molto più alta di quanto si pensava, secondo me non si fermerà a 160. Vittorio indossa gli stivali da pescatore, oltre – ovviamente – a una camicia di flanella che si intravede sotto il giaccone. A vederlo camminare, mi spavento ancora di più. L'acqua lo rallenta, ma il vero problema è l'aria, che lo spinge indietro, che sembra opporsi, che crea corridoi ghiacciati e velocissimi. Lui, un uomo gigantesco, non riesce quasi a camminare.

"Mai vista una cosa del genere."

"Non si arriva da nessuna parte, da quanto è alta."

"Sarà una lunga notte."

"Venite a darci una mano, vi prego!" grida Chung spaventato, l'acqua gli è entrata, sta minacciando le isole che ha creato dentro il locale con assi di legno, tutti accorrono. "Il frigo!" urla. L'acqua è oltre i 160, servono braccia forti, quelle del libraio sono le più robuste, bisogna salvare altre cose, bisogna alzarle ancora, anche se già una sedia bianca va via, era stata legata male alle altre, l'acqua l'ha sollevata, sbatte contro un muro con la risacca.

"Lasciala lì."

"La prenderai dopo."

Ventidue e ventiquattro, previsione delle 21.45, si segnala *Ulteriore peggioramento meteo. Previsti 170 cm alle ore 23.00 di oggi. Marea eccezionale, codice rosso.*

"Il cellulare!" grida Chung.

"È qui sotto."

"Era un Huawei da cento euro. Lo lascio lì."

"Lo vedo."

"No, quello è un pacchetto di caffè!"

"È troppo torbido qui."

"Questa è acqua di fogna."

"Rimboccati la manica, almeno."

Dalla calle, affannato, arriva il venditore di pianoforti: "Dov'è Vittorio?".

"Sono qui!"

"Guarda che l'acqua sta entrando in libreria."

Vittorio sbianca, corre fuori, risale per la calle. Non piove più, ma l'acqua si ingrossa. Vittorio la vede che è alta, lì davanti, e lui procede, scavalca la paratia, l'acqua ancora non è entrata, tocca l'interruttore, per abitudine, ma la luce non va, prende una piccola scossa. Si gira, guarda fuori. L'acqua è lì. È nera, preme contro la vetrina, batte come un esercito, pare rompere il vetro, ma il vetro tiene, è che ormai è a pochi centimetri dalla paratia, e Vittorio è fermo, è Achab prima di incontrare Moby Dick, non sa cosa fare, non sposta i libri, ma l'acqua non torna indietro, l'acqua sale, continua a salire, è impazzita, è a un centimetro dalla sua paratia, se non si ferma tracimerà dentro. Ricomincia la pioggia gelida, viene a secchi, lascia macchie sui muri, sbatte contro gli alberi, sibila tra le tegole dei tetti. Si sente un fischio lunghissimo, il rumore di un terremoto, e allora l'acqua è ormai all'orlo, Vittorio capisce che passerà di sicuro, che sarà un'alluvione, avrebbe dovuto pensarci prima, nel pomeriggio, a mettere in salvo i suoi libri, adesso è troppo tardi, non ha spazio per spostarli, non può fare niente, è ipnotizzato da quei gorghi, se l'acqua supera il bordo della paratia è la fine, e allora lui prega che non succeda, che si fermi lì, che non passi oltre, ma all'improvviso succede un'altra cosa, Vittorio fa un passo e sente un rumore intorno agli stivali, uno sciacquio, e si accorge che l'acqua è già dentro la libreria, sta salendo dal pavimento, è talmente tanta, è talmente dappertutto, che ha impregnato la terra, ha scavato corridoi nel suolo, preme da sotto, mezzo centimetro è già lì dentro, e cresce rapida, Venezia è zuppa, Venezia è fradicia, Vittorio si volta, butta per terra dei giornali, prova ad asciugare, i giornali si gonfiano, ma l'acqua resta, è troppa per asciugarla, e ormai minaccia la base del primo scaffale, e Vittorio non guarda più la paratia, non sa dove guardare, davanti o dietro, è un assedio da tutti i fronti, e allora sente un rumore, una vasca che si rovescia, l'acqua è perfida, e così straripa dalla paratia, un fiume, un secchio, un tifone viene giù, non si può fermare, butta nella libreria centimetri e centimetri, l'acqua va dappertutto, rapidissima, va sotto il primo scaffale, prende la carta, la succhia, l'acqua sale, va sotto il secondo scaffale, se continua a salire sarà il terzo, e via, sempre più su.

Io vedo l'inondazione, spalanco la finestra, urlo, dico a Vittorio di portare i libri in casa mia, al primo piano, sarebbero all'asciutto, siamo vicini, una decina di metri per arrivare alla porta, ma lui non può sentirmi, e io non posso aiutarlo, non riesco a mettermi gli stivali, non posso fare le scale, spingere l'acqua, le mie ginocchia non funzionano, e poi fa terrore quest'acqua, anche a me che ne ho viste tante, anche a me che ho visto il 1966, che ho visto la guerra, pare che possa portarti via, bisogna star fermi in casa, aspettare che passi, ma questa volta si porterà via tutto, è arrivata per restare per sempre, non se ne andrà mai più, Venezia finirà tutta sotto, ci porteranno via con gli elicotteri, bisognerà abbandonare la città.

Quaranta centimetri in più del previsto. Non 145, ma 187. Quaranta centimetri in più cambiano tutto, travolgono letti, inondano vestiti, spazzano fogli, distruggono provviste, sporcano materassi, e poi calzini, telefoni, gioielli, bicchieri, piatti, stoviglie, libri, centinaia di libri, e adesso non si può fare niente, non si può reagire, non c'è più tempo né spazio per mettere le cose in salvo, solo stare a guardare, piangere, all'inesorabile bagnarsi, lerciarsi, disfarsi. La pizzaiola solleva il registratore di cassa con un grido, ma a un certo punto lo sforzo è inaudito, non ce la fa più, lo getta in acqua e bestemmia. Chung è impietrito davanti allo sfacelo. Quella degli zaini li sbatte nell'aria, si bagna anche lei, ha la faccia folle e rabbiosa di chi lotta contro il più forte. Il venditore di pianoforti, a settant'anni, va avanti e indietro con stracci e secchi, per prenderne quanta più riesce, di quella che risale dal pavimento, la marea ha giocato anche lui, non era mai stata così. L'acqua è inarrestabile, l'acqua non si ferma più, l'acqua si porta via tutto. L'acqua viene ovunque; sgorga dai canali, dai tombini, dai water, dai rubinetti, dal cielo.

Vittorio compare sulla soglia del negozio, due casse sulle

spalle, due casse enormi di libri, come Atlante che si porta il mondo, esce in calle, va in direzione di casa sua per tornare indietro il prima possibile, salvare tutto quello che può ancora salvare, ma la marea gli arriva ormai alla pancia, è lentissimo, si è caricato troppo, piove sopra i libri, e a un certo punto non so cosa succede – se succede a lui figurarsi cosa potrebbe succedere a me, che ormai peso poco più di un uccelletto – ma Vittorio viene giù nell'acqua come un albero colpito da un fulmine, come una frana di montagna, con tutte le casse, e dalle casse cadono tutti i libri, si tuffano in acqua, si ammazzano in acqua, sono decine e decine e cominciano a galleggiare per il campo, le pagine turbinano al vento, i libri paiono volare ma poi annegano, e si disperdono, e tutto campo San Giacomo è pieno di libri perduti, e pare che tutto sia perduto.

Sofia ha atteso a lungo prima di uscire.

Si sentiva strana dal mattino. Insieme all'acqua, l'ha allagata anche il cattivo umore. Non si è presentata all'esame, non era pronta, non aveva voglia di uscire. È triste, in crisi, le manca New York, una città più grande. Durante il giorno è stata a letto, ha guardato il cellulare, perso tempo. Ha mangiato mezzo hamburger a pranzo, ha saltato la cena.

Si accorge dell'emergenza alle dieci; gli amici in chat condividono foto dalle finestre di casa.

Da noi ha portato via la paratia.

È entrata in casa dei miei, non era mai successo.

La lavatrice?

Sofia pensa a Chung, prova a chiamarlo, ma lui non risponde. Pensa a Vittorio. Decide di uscire, va verso il salotto dove sua madre sta guardando un video di Brignano su YouTube, distesa sul divano con una coperta e un carcadè.

"Che cosa fai? Non penserai mica di uscire?" Si è accorta che Sofia si sta mettendo il cappotto.

"Sai che mi piace camminare nell'acqua."

"Sì, ma questa è altissima. Stai a casa. C'è un vento..."

"Prendo gli stivali alla coscia di papà."

"Per andare dove?"

"Da Chung."

"Questa mania per i cinesi."

"Voglio dargli una mano. Sarà in difficoltà."

"Ma non vedi che c'è l'Armageddon?"

"Gli stivali di papà mi salveranno. Sono magici, tipo Excalibur."

Sofia scende al pianterreno, c'è acqua anche lì, passata da sotto la porta. La calle è invasa, appena scende il gradino la marea le si stringe attorno allo stinco. Gli stivali le si appiccano addosso, sente freddo, avrebbe dovuto indossare calzini doppi. Diluvia, apre l'ombrello. Procede per la calle, decide di sbucare alle Zattere, per vedere com'è lì la situazione; da uno stretto passaggio tra i muri di due case vede schiocchi di lampi, sente un rumore irreale, un vortice. Sta per uscire sulla riva, ma il vento la spinge indietro e allora abbassa la testa, resiste, esce in fondamenta, rimane di sasso. Non ha mai visto niente di simile. Il vento schiaccia le case, l'acqua è scurissima, sozza di ogni immondizia, gli imbarcaderi dei vaporetti sbattono contro la riva, un pezzo di legno si è staccato, un vetro si è scheggiato, qualcosa galleggia davanti a lei, non capisce di cosa si tratti, teme sia un coccio di vetro, va pianissimo per non tagliarsi gli stivali. I ristoranti sono al buio, i camerieri stipati dentro. Sofia prova ad avanzare. L'ombrello si rovescia, lei si volta, sente che tira come una vela, lo raddrizza, lo chiude, si bagna, non vuole fermarsi. Ecco il ponte; sale i primi scalini e si sente in salvo. Dopo le Zattere, il resto sarà più semplice, le basterà incamminarsi lungo la prima calle, rientrare verso Santa Margherita. Ma subito il vento riprende a soffiare, la sposta di nuovo; si accorge che la furia è incredibile, che l'acqua la ancorava, adesso invece deve quasi accucciarsi per non cadere, deve sbrigarsi, scende la rampa, rientra nell'acqua oltre il ponte. In quel punto, Sofia già lo sapeva, la marea è altissima. Le arriva al limite degli stivali, deve procedere cauta, per evitare il travaso dentro la plastica. Ancora qualche passo, centimetro dopo centimetro l'acqua è più vicina, e Sofia all'improvviso è lontana dal ponte, da tutto, e si sente una naufraga, ha solo acqua intorno, non ci sono luci, non c'è nessuno, non vede più dove finisce la fondamenta, le viene paura di cadere, non riesce quasi a tenere gli occhi aperti, a capire da che parte sta andando, le onde cominciano a muoverla verso l'esterno, verso il canale, e il canale è profondo, romba, potrebbe portarla via, allora decide di tornare indietro, cercherà un'altra strada, ma non è tanto dove andare, la direzione, è che l'acqua sale, e lei non fa in tempo a fare un passo che alla fine la marea le entra dentro gli stivali. Sofia la sente, fredda, sporca, inzuppa le calze, sale lungo le gambe, la rallenta, allora molla l'ombrello, che si riapre da solo, volteggia come un corvo e poi cade stecchito, almeno a venti metri da lei, Sofia si tiene gli stivali con le mani, che l'acqua non le porti via anche quelli, deve tornare a casa, deve assolutamente riuscirci, ha paura, è da sola lì, l'unica pazza che si è azzardata a uscire, non c'è nessuno che possa salvarla, l'acqua sale velocissima, centimetro su centimetro, ormai è all'ombelico, va verso il seno, il collo, e un'onda di risacca la spinge ancora più fuori, lei barcolla, inciampa, si appoggia con un braccio in acqua, ma non può toccare la strada, un'altra onda le schiaffeggia la guancia, i capelli sono inondati, sente un sapore di sale sulle labbra, e si ritira su, il cappotto è rovinato, capisce di essere davvero vicinissima al canale, che l'onda la tira in quella direzione, un paio di passi e ci finirà dentro. Punta i piedi, sta ferma, le onde le danno un attimo di tregua, riprende la sua traiettoria, tra poco sarà di nuovo sul ponte, dall'altra parte ci sono i ristoranti, qualcuno si accorgerà se ha bisogno, qualcuno si tufferà, ma è tutta colpa sua, Sofia non doveva uscire, è stata un'incosciente, un altro passo, l'ultimo, riesce ad aggrapparsi al ponte, a mettere il piede sul primo gradino, si accuccia, procede a quattro zampe sotto la balaustra, la pioggia è di nuovo fitta, il viso frustato dai capelli bagnati, non riesce a tenere gli occhi aperti per il vento, ma non può fermarsi in quel punto, tra poco sarà a casa, una doccia calda, tutto in lavatrice, e in quel momento sente un altro sibilo, un tuono, gli imbarcaderi sbattono, altre schegge si disperdono nell'aria, Sofia alza lo sguardo e vede, dalla fondamenta, qualcosa che non capisce, un'enorme bestia che si agita, e poi si accorge che non è un animale, un dragone o uno squalo, è l'edicola, l'edicola dondola sbilenca, una parte è rimasta ancorata al suolo, un'altra se la sta portando via l'acqua, continua a sbatterla, avanti e indietro, e poi la sradica, la solleva del tutto, e le sembra che l'edicola stia gridando, che qualcuno la salvi, ma l'acqua l'ha strappata, la marea la gonfia, la appesantisce, la ingoia intera come un serpente, l'edicola balla, è già in mezzo al canale, lontanissima dalla riva, perduta, sbuca solo un angolo, sembra una mano, a implorare misericordia, ma ormai annega, l'acqua la sta divorando, la fa saltare in aria, l'ultima volta, per prenderla meglio, la risucchia.

Dalla mia finestra vedo l'apocalisse.

Il campo pare un oceano in tempesta. I libri di Vittorio sono dappertutto, scacciati verso angoli diversi, sono arrivati fin sotto i muri dei palazzi. Poi ci sono sacchi neri che navigano, rami grandi come cannoni, tavolini che si scontrano, un'asse di compensato come una zattera che ha disarcionato ogni naufrago, e foglie, un tappeto di foglie che nasconde il buio dell'acqua.

Non c'è più nessuno.

Il supermercato è invaso, e anche il bar, e così l'albergo appena aperto. Il parroco prova a uscire dalla chiesa. Si tiene una mano sulla fronte, perché i capelli non gli si incollino sugli occhiali, forse vuole chiedere aiuto, o forse vuole portarlo, non lo sa nemmeno lui, si accorge che non può procedere oltre, che non ha senso muoversi. Il portone della chiesa si apre, e intuisco che l'acqua è dentro, capisco che copre i marmi del pavimento, che ha preso le panche di legno, le basi delle colonne, i tappeti, che ha salito i gradini dell'altare, salta sotto le tele, lecca la base della croce di legno, anche la chiesa è una barca inondata, anche la chiesa sta affondando. Il parroco è attonito. Non c'è niente da fare, è troppo tardi, è troppo forte questo tornado, che venga l'acqua a prendersi tutto quello che sembrava aver risparmiato, che venga l'acqua e ci porti via, e l'acqua continua a salire, ancora un centimetro, adesso è appena più lenta, ma avanza ancora. Avanza così, senza tregua, velocissima, furiosa.

L'acqua si ferma.

Me ne accorgo perché le foglie cominciano a dondolare, ipnotiche, anziché muoversi vorticose, sbattute verso gli alberi, il centro del campo. Guardo la porta di Chung. Prima faceva fatica ad aprirla, perché l'acqua salendo gli premeva contro. Adesso invece riesce a uscire. È il momento decisivo, l'acqua sta ferma. Non sale più. Di solito sta ferma un'ora, ma un'ora così è troppo, e poi chissà se scenderà, non si è mica più sicuri di niente, stasera, l'acqua potrebbe ripartire, ricominciare a salire, non è mai successo ma qui non esistono più regole, la natura fa quello che vuole, bisogna aspettarsi di tutto. Gli uomini sono lì che la guardano. Ormai non hanno niente da fare, da sperare, ogni danno è fatto, all'acqua chiedono solo di andarsene, di dar modo di cominciare a sistemare, a riparare.

Scende.

Di colpo, l'acqua scende.

Le foglie vanno verso il canale, tutto va verso il canale, il canale si riprende la marea che aveva moltiplicato.

Non ci credevo più, il mio cuore è invaso dalla gioia.

Scende velocissima, 20 centimetri in venti minuti, mai visto niente di simile, arriva solo adesso il messaggio del Centro Maree: *La laguna subisce gli effetti di non previste raffiche di vento da 100 km orari. Il livello potrebbe raggiungere i 190 cm alle ore 23.30.* La pioggia e il vento hanno smesso. L'acqua se ne va, non c'è dubbio, non salirà più di così. Ma è così tanta che è ancora tutto pieno, ci vorrà comunque tempo.

E poi l'aria è irreale, umidissima e tropicale; è tutto zuppo, i miei asciugamani e l'accappatoio in bagno, gli stracci della cucina. L'igrometro è impazzito. Ho mal di testa, di pancia, per l'emozione e la bassa pressione. E in casa mi accorgo che è pieno di zanzare, decine di insetti scacciati dai nidi, da terra, volano, ronzano deliranti, non si spiegano neanche loro cosa è successo, in che mondo impazzito vivono. Una coppia che vive al pianterreno dalla parte del Megio esce in campo; la casa è allagata, chissà dove andranno a dormire; vorrei chiamarli da me, ma non mi sentono. Un bambino urla, si è svegliato, non capisce perché ha questo dolore, la sensazione di qualcosa di brutto. Un albero si piega di schianto. Quello dell'enoteca sul ponte grida forte che sono venuti giù parapetti, colonnine, come uno tsunami. Guardo facebook sul telefonino. La gente comincia a postare le foto, i video. L'acqua ha lambito le auto a piazzale Roma. I garage sotterranei al Lido si sono riempiti. Un vaporetto si è infilato sopra la riva degli Schiavoni, numerosi imbarcaderi sono distrutti, ridotti a rottami. La statua della Partigiana è stata trascinata in laguna. Pellestrina è sommersa, le isole sono le più colpite, la povera gente è sempre la più colpita. Chiamo un paio di amiche, mi assicuro che stiano bene. Non posso dormire, non posso scendere, sto alla finestra. Nel cuore della notte, verso le due, il grosso dell'acqua è andato, si liberano i pavimenti. È buio, l'elettricità non c'è, non funzionano le pompe idrauliche per sputar via l'acqua dagli scantinati. C'è un corteo di torce, qualche generatore, si prova a sistemare quel che si può. Si spazza, si lavano i tavoli, le sedie. Bisogna fare in fretta, perché il sale corrode, non è solo l'acqua che arriva, ma quello che lascia, che si attacca, che viene fuori a distanza di giorni. Bisogna fare in fretta, l'acqua è salita dai canali, dalle fogne, è lercia, puzzolente.

La pizzaiola scuote la testa, riempie sacchi di spazzatura senza sapere dove buttarli, deve tenerli ancora sopra i tavoli, sopra il bancone. La dispensa è stata invasa; origano, pomodori, zucchine, farina, lievito... tutto da buttare. Il venditore di pianoforti comincia a lucidare le gambe dello Steinway; sa che dovrà abbassargli il prezzo.

Vittorio non si vede.

Si è chiuso dentro la Moby Dick.

I primi due scaffali sono andati sott'acqua, il terzo è salvo per miracolo, bastava solo un altro centimetro, in ogni caso qualche centinaio di libri sono perduti; tantissimi, troppi. Ne afferra qualcuno, pregando di trovarne uno intatto, ma sa che non è possibile. Li apre, li agita, li sgocciola. Serve a niente. Toglie la paratia, l'acqua defluisce. Raccoglie da terra *Le ultime lettere di Jacopo Ortis* finite in mezzo alla stanza, suicide come il loro protagonista, cadute da uno scaffale in alto, come se ci fosse stato un terremoto. Calpesta *Armi, acciaio e malattie*, finito in un angolo. Ha perso Böll e Borges, Brizzi, Bulgakov e Buzzati, e poi Cassery, Cronin, e poi qualcosa della F, Fermor, Fitzgerald, Richard Ford, qualcosa della I, Ishiguro, mezzo Musil, che era diviso tra due scaffali, la P, la S, tutto Saramago, il suo amato Zweig. Apre *Il mondo di ieri*, si legge appena – *Se tento di trovare una formula comoda per definire quel tempo che precedette la prima guerra mondiale, il tempo in cui son cresciuto, credo di essere il più conciso possibile dicendo: fu l'età d'oro della sicurezza –*, le pagine sono incollate. La poesia è andata sotto dalla V alla Z, e poi i cataloghi d'arte, le guide del Touring (migliori delle Lonely Planet).

Non c'è niente da fare. Sono da buttare.

Vittorio dovrà prendere i libri, accatastarli, ma lo farà domani, è sfinito, manca poco all'alba, dovrà soprattutto ritrovare le energie, perché davvero non ne ha più. Adesso che l'acqua ha lasciato la libreria si ricorda di essere sozzo, si accorge di avere freddo. Esce, pesante dell'armatura dei vestiti zuppi, saluta con un cenno il venditore di pianoforti, "Te ne vai?", "Ho bisogno di riposare", "Tra poco stacchiamo anche noi", si tira dietro la porta senza chiuderla a chiave, si incammina.

Quando arriva in campo, però, vede i suoi libri un po' dappertutto, sparpagliati, e allora decide di andare a riprenderli, sono suoi e non può lasciarli così, dev'essere lui a dare loro sepoltura.

Mi assopisco sulla sedia, per sfinimento, appena l'acqua se n'è andata via. Faccio un sogno angosciante, un incubo, strano, colorato, in cui mi sembra di affogare. Mi sveglio tossendo, come se avessi inghiottito dell'acqua, e mi pare di rivedere le immagini della sera prima; il buio, i lampi, il rumore. Stropiccio gli occhi, ho fame, che stanchezza... Sono ancora sotto choc. Penso che il peggio è passato, ma in realtà rimango in allerta; è perché sento ancora silenzio, ancora umido.

Mi affretto verso la finestra con il cuore in gola: quando guardo fuori, trasecolo. Mi sembra impossibile, eppure l'acqua è già tornata.

Ed è tantissima.

La marea è risalita subito, anche se non c'è più niente da sbranare, più niente da portare via. Mi accorgo è che arrivato un altro messaggio del Centro Maree: *Previsti cm 160 per 13/11 alle ore 10.30. Marea eccezionale. Linee telefoniche fuori servizio.*

No, non è finita.

L'acqua è ancora qui, di nuovo dentro i negozi, di nuovo dentro la chiesa, di nuovo nei pianterreni: 160 centimetri. Ed è tutto spettrale; certo, adesso c'è il sole, e senza vento l'acqua è placida, ma è come se la battaglia fosse finita, come se l'acqua l'avesse vinta per sempre. La gente è immobile, dietro le finestre. Tanti hanno pulito nella notte, ma non è servito a niente: dovranno pulire di nuovo.

Da Vittorio questa seconda ondata non è entrata, però, e lui prova a rimettere un po' in ordine. Lo vedo attraverso la vetrina, mentre getta i libri nei sacchi neri dell'immondizia senza guardarli. Il problema è l'odore, la sporcizia della carta.

Qualcuno è annoiato, qualcun altro sembra disperato. La pizzaiola si tiene la testa tra le mani, singhiozza.

"Non riapriremo più."

"Nessuno verrà più a Venezia."

"È una tragedia."

"È tutto finito."

Sofia si sente la febbre, ma non se la misura.

Tossisce, vede che sono le nove, si alza di scatto, indossa un paio di pantaloni, un maglione pesante per sentirsi comoda. Il cappotto è sopra un termosifone, andrebbe lavato a secco, ma si è rovinato, non vuole pensarci. Prende allora un giaccone che non usa da anni, azzurro chiaro, non le piace più. È pronta per uscire. È che gli stivali alti sono fradici, non può calzarli. Ha quelli bassi, che però arrivano solo al ginocchio. A guardare dalla finestra, la calle di nuovo invasa, si accorge che non le sono sufficienti, si bagnerebbe ancora. E poi, a scrutare l'acqua così cupa prende di nuovo paura; già una volta l'ha sottovalutata, deve aspettare che scenda.

Vittorio continua a riempire sacchi.

Ha pulito tutto tre volte, sfregato ogni centimetro con rabbia, ha usato il detersivo speciale, quello che ingrassa i pavimenti antichi; appena si sono asciugati gli scaffali vuoti, ha messo dentro dei libri.

Si guarda intorno, comincia a fare i conti di quanto ha perso. Moltiplica il numero di libri per un prezzo medio di copertina, somma i danni agli impianti. Prova a rifare più volte il calcolo, non può prendersi in giro. Si siede per terra, il pavimento è freddo. Sono parecchie migliaia di euro, più di ventimila, probabilmente trentamila. Vittorio è arrabbiato, anche con se stesso, per non aver svuotato almeno il primo scaffale. Scuote la testa: bisognerà sistemare l'impianto elettrico, ricomprare lampade e due sedie, e anche la cassa, il pos, non funziona niente, non si connette più niente.

I sacconi non può nemmeno buttarli via, perché la fondamenta è piena d'acqua, se ne andrebbero in giro galleggiando. C'è puzza. Gli viene da piangere, forse, ma Vittorio non è tipo da piangere.

Eppure l'acqua scende.
Eppure l'acqua ancora se ne va.
Tornerà?
Tornerà alta come stanotte?
Dovremo imparare a conviverci?
Ci porterà via?
O forse no, forse ce la faremo anche questa volta.

Sofia si guarda intorno.
Finalmente si può uscire, e lei non vuole certo perdere tempo. Le Zattere sono invase da una luce lugubre, i masegni sono umidi, ci sono cartacce dappertutto, si nota il segno scuro della marea impresso sulle porte, sulle facciate dei palazzi. Gli imbarcaderi sono danneggiati, i vaporetti non circolano, l'edicola non esiste più, il liceo Marco Polo è allagato, e anche quello artistico; oggi a Venezia non si tengono lezioni, chissà quando riapriranno le scuole. Nella biblioteca

dell'università si accatastano le cose da buttare; codici civili, trattati di macroeconomia, cavi elettrici. La pasticceria è chiusa, e così la merceria vicino al ponte delle Maravegie, il negozio di souvenir, quello di vestiti.

La città pare abbandonata.

"Alla Fenice la stagione lirica non comincerà," si dicono due che passeggiano.

"Sei sicuro?"

"Come vuoi che facciano, in dieci giorni?"

"Hanno avuto molti danni?"

"Tantissimi, a tutti gli impianti."

I negozianti sono silenziosi, tristi. Sofia sbircia oltre le vetrine. Non esistono più gli scaffali bassi, sono alberi senza radici, è tutto da buttar via. Confezioni di riso, di sale, di zucchero, surgelati, collane, mutande, scatole di biscotti, felpe, salumi... tutto bagnato, tutto sporco.

Sofia affretta il passo.

Vittorio è rimasto seduto per terra, non ha voglia di alzarsi. Allunga la mano verso gli scaffali dei libri intatti, quelli che si sono salvati; per caso, perché erano lì e non in un altro posto.

Guarda in alto, riconosce Ackerley, Affinati, Albinati, Andersen, Arbasino, Auster, poi tutta la E, che è sempre molto corta, e poi la R, Rilke è ancora lì, e si accorge che tra le *Elegie duinesi* e i *Sonetti a Orfeo* c'è un libro di Saramago, che non dovrebbe essere lì, forse l'ha messo lui per sbaglio, o qualche cliente, o Sofia, ma chissà come, per caso, è intatto, è l'unico che si è salvato dell'autore portoghese, *Il viaggio dell'elefante*. Vittorio lo prende, ha voglia di leggerlo. Comincia dalla dedica: *A Pilar, che non ha permesso che io morissi.* Fa un sorriso.

Quanto gli piacciono, i libri.

Nessuno può portarglieli via. Anche se perdesse la libreria, anche se non dovesse venderne più, nessuno può toglierglieli. Può chiudere la Moby Dick, ma i libri esisteranno ancora, con le loro storie, nessuno potrà impedire a lui di leggerli, li ama per questo in fondo, è cominciato tutto così, perché a lui piace leggere, andarsene con la fantasia, usare l'immaginazione, ridere e piangere per cose che non esistono, che sono solo inchiostro, e per questo esistono ancora di più, è quello l'importante per lui, non deve dimenticarlo.

Si accende una sigaretta, non l'ha mai fatto dentro il negozio; il pacchetto è vuoto, sta fumando troppo. Si sente più rilassato; se non riuscirà a riaprire, andrà a lavorare da Chung, anche se non è messo molto meglio di lui. Ovviamente, chiederà di fare gli stessi turni di Sofia.

Per quanto incongruente possa sembrare a chi non tenga in attenta considerazione l'importanza delle alcove, siano esse sacramentate, laiche o irregolari, nel buon funzionamento delle amministrazioni pubbliche, il primo passo dello straordinario viaggio di un elefante verso l'Austria che ci proponiamo di narrare fu fatto negli appartamenti reali della corte portoghese, più o meno all'ora di andare a letto.

Non male, come incipit, pensa Vittorio.

Piacerebbe a Sofia? Forse sì, ma tanto poi non se lo ricorderebbe. Sorride.

Vorrebbe leggere, non pensare più a niente, ma il telefonino continua a vibrare. Clienti, amici da tutta Italia gli mandano messaggi per sapere come sta, per chiedergli informazioni. Risponde a caso, a seconda dell'umore, "lunatico" direbbe Sofia. Qualche volta scrive che va tutto bene, è tutto sotto controllo, qualche altra che non potrà riprendersi.

Arriva un altro messaggio del Centro Maree: *Previsti cm 160 per 13/11 alle ore 10.30. Marea eccezionale. Linee telefo-*

niche fuori servizio. Ancora acqua, ancora alta. Basta, pensa, non ne posso più.

Lascia Saramago, deve rimettersi a lavorare, liberare altri scaffali, mettere i libri ancor più in sicurezza. Quello che gli è rimasto non può mica perderlo.

Controlla la chat con gli altri librai veneziani. Tutti hanno avuto gravi perdite, si fanno forza l'un l'altro, ma l'elenco delle cose da sistemare è lungo. Toletta, Mare di Carta, Ca' Foscarina, Goldoni, Filippi, Bertoni, Marco Polo, Acqua Alta, Lido Libri, Emiliana, Studium, tutte. Chi ha perso il venti per cento dei libri, chi tutto, così, in una notte. Qualcuno scrive che ci saranno rimborsi, che si stanno muovendo i giornali, le televisioni, il Comune, che il mondo si è commosso a vedere Venezia in difficoltà.

Ma non in ginocchio. Noi non saremo mai in ginocchio.

Purché i rimborsi non arrivino tardi, in quel caso sì che siamo in ginocchio, per non dire di peggio.

Comunque devi consegnare gli scontrini, anticipare i pagamenti.

Speriamo nessuno faccia il furbo. Bisognerà chiedere un mutuo.

Avete sentito della Querini, la biblioteca?, scrive uno. *Erano al sicuro solo fino a 160, purtroppo.*

In tante altre biblioteche non hanno ricevuto i fondi per spostarli in luoghi dove l'acqua certamente non entrava.

I libri pesano sui pavimenti antichi, per quello erano tutti stipati al pianterreno. Non si possono mettere al sicuro ai piani superiori.

Mi dicono che ci sono state grosse perdite anche alla Marciana, alla Fondazione Levi, alla Cini. Sì. Libri antichi, anche incunaboli, cinquecentine.

Si mandano delle foto, un link a un articolo di giornale, dei video. Pare che a Bologna ci sia un centro che congela e liofilizza i libri, e poi li ricompatta, è un procedimento costoso.

Ma ci pensate a tutti i libri perduti?

Già. Forse ci sono cose più gravi che perdere i libri, ma i libri hanno qualcosa di speciale. Ci sono i magazzini dei privati, le librerie negli scantinati, gli scatoloni in cui ognuno tiene libri di scuola o dell'università, libri con dediche, libri regalati, libri che sono la storia di ciascuno, l'identità, lo stemma, il modo che qualcuno ha di ritrovarsi, o di ritrovare un tempo, un'emozione, chi non c'è più.

Vittorio finisce di riempire il decimo sacco.

La nettezza urbana passerà nel pomeriggio, quando l'acqua comincerà a ritirarsi.

È inutile restare lì dentro.

Prende il libro di Saramago, chiude il negozio, va a casa. Cerca di ricordare se ha qualcosa da mangiare in frigo, perché tutti i negozi sono chiusi.

Se Sofia fosse venuta per calle dell'Anatomia, si sarebbero incontrati. Invece è passata da ruga Bella, e così, per pochissimo, non si incrociano.

La ragazza trova la Moby Dick con le luci spente, la porta chiusa a chiave. Prova a bussare, sperando che il libraio sia lì dentro, ma non le risponde nessuno. "Vittorio!"

"Non c'è," le dice il venditore di pianoforti.

"Quando torna?"

"Nel pomeriggio."

Sofia pensa di lasciare un biglietto, di farlo passare sotto l'uscio. *Posso venire ad aiutarti?*, potrebbe scrivere. E sotto il suo numero di telefono. Ma non lo fa: il venditore di pianoforti la guarda, lei si vergogna un poco.

Chung è seduto in campo, ha gli stivali a mollo, il tavolino dentro l'acqua. Osserva la chiesa, scruta il parroco che si muove lento, tutto intorno, a vedere se c'è qualche infiltrazione visibile sui muri. Chung beve la spremuta. "Funziona la centrifuga?" gli chiede la ragazza.

"No. L'abbiamo fatta a mano. Dovremmo cambiare fornitore; con queste arance che mi hanno portato da Mestre è più buona."

"La piastra per i toast?"

"È andata sotto, è tutta rovinata. Il frigorifero è perso. Non c'è niente da mangiare."

"Ho provato a chiamarti stanotte."

"Il telefono è finito sott'acqua."

"Ho cercato di venire qui, non ci sono riuscita."

"È stato un inferno."

"Posso fare qualcosa adesso?"

"Laveremo di nuovo il pavimento, ma poi siamo a posto. Dobbiamo fare acquisti, ordini, passare in Banca Intesa, ma tu non c'entri, devo occuparmene io. Puoi andare a riposarti."

Suonano. Cerco di affrettarmi, ma quando arrivo al citofono non mi risponde nessuno. Torno alla finestra, ma non vedo persone davanti alla mia porta.

Forse era Sofia.

Vittorio ritorna alla Moby Dick.

La marea si è ritirata, tutti portano fuori i rifiuti. Calle del Tentor è piena di quelle che paiono le macerie di un bombardamento: un materasso, un divano, dei Playmobil, un'asciugatrice, uno schermo di computer di quelli vecchi, color panna. I sacconi della Moby Dick sono pronti. Lui se ne carica uno sulla schiena, prova con due ma non ci riesce. I libri sono sempre pesanti, ma mai come quando sono fradici d'acqua.

In fondo alla calle, attracca la barca della nettezza urbana, e tutto intorno si crea una coda. C'è stanchezza, i capelli arruffati, gli stivali ancora ai piedi.

Ma c'è anche un po' di adrenalina, qualcuno prova a sorridere, a scambiarsi qualche meme, il video di una donna in mutande in mezzo alla mareggiata, una fontana che versa direttamente in acqua ("Ecco da dove viene il casino"). Quello dell'enoteca ha ancora la sua paratia sulla porta; sopra ci ha scritto a grandi lettere: MOSE.

La gente è tornata in strada, come fosse finita una battaglia. Qualcosa sta succedendo. Sofia se ne accorge quando arriva a San Polo. Voleva solo passeggiare, guardarsi intorno, vedere se qualcuno aveva bisogno di una mano, ma incrocia uno sciame di ragazzini che vanno verso Rialto.

Scruta tre cadette del Collegio Navale Morosini; divisa da sport con i colori della scuola, accento pugliese. Poi vede due con gli occhiali che stanno andando nella sua stessa direzione, avranno quindici anni: "Speriamo ci siano delle belle ragazze", "Tanto con te non ci stanno". Una coppietta si tiene per mano, lei è più alta.

"Per fortuna non dobbiamo andare a scuola," dice lui.

"Ma non ti importa della tragedia?"

"La verifica di matematica?"

Sofia ferma uno che sembra uno studente di Architettura, con la borsettina di juta e i pantaloni neri skinny: "Dove state andando?".

"In campo dell'Erbaria."

"A fare cosa?"

"A dare una mano."

"Ad aiutare Venezia," dice un altro.

"C'è un ritrovo?"

"Sì. È un gruppo che si chiama Venice Calls, sta organizzando i soccorsi. Guarda su facebook."

Sofia si collega alla pagina: *Rialto ore 12.00. Da lì ci divideremo in più squadre, con relativi capigruppo, per coprire più zone possibili! Armatevi di stivali e forza di volontà, Venezia ne ha bisogno.*

Scorre i commenti: *Urge intervento con retini nei canali per recuperare i rifiuti*; *Arriverò a mezzogiorno da Vicenza, scrivete dei numeri di telefono dove si possa rintracciarvi*; *Fate un gruppo telegram*; *Grazie per quello che state facendo.*

Sofia va più veloce di tutti, si infila nella calle che da Campiello dei Meloni arriva fino a Sant'Aponal, prosegue per ruga Rialto. Non ci sono i soliti turisti, ma facce diverse; studenti, universitari, giovani. Ragazzine con maglioni multicolori, felpe grigie con il cappuccio, magliette bianche, pantaloni mimetici, berretti gialli, una ragazza dai tratti arabi, una invece asiatica. Il capannello si forma al mercato della frutta. Il sole è tiepido, nell'aria c'è già un profumo diverso. Sofia non ha mai visto tanta gente, a parte a Capodanno o per Carnevale.

"Ma quanta gente c'è?"

"Cinquecento persone. Forse di più."

"Ce ne sono anche di una certa età."

"Quello lì avrà al massimo quarant'anni."

"E allora li porta malissimo."

"Un gruppo facebook sta recuperando materassi, lenzuola, asciugamani, generi di prima necessità."

"Ce ne sono parecchi, di gruppi così. Stanno facendo un lavoro eccezionale."

"C'è un eccesso di offerta di mutande."

"Da questa parte," invita un ragazzo con i capelli cortissimi, una spilla sul petto. È uno dell'organizzazione. "Vi diamo guanti, sacchi della spazzatura, vi diciamo dove c'è bisogno di andare."

Sofia riconosce un compagno di liceo. È qualche anno che non lo vede, è andato a studiare a Milano ma questa mattina ha preso il treno all'alba. Si rassicurano a vicenda; le rispettive famiglie non hanno avuto grossi danni. Lui sta andando verso Pellestrina, segue il gruppo più numeroso, diretto lì dove l'emergenza è più grave. C'è un ragazzino, rosso di capelli, che sta filmando tutto, chiede anche a Sofia se ha foto o video, "voglio creare un archivio, perché nessuno si dimentichi". Poi Sofia nota uno che incontra spesso nei corridoi dell'università. Un lungo cappotto, il codino, sembra convinto di combattere in *Guerre stellari*; non si sono mai salutati prima, adesso viene spontaneo.

Spuntano due ragazzi con la giacca a vento rossa. "Siamo francesi, siamo finiti sott'acqua prima di rientrare in albergo. Vorremmo dare una mano. È la nostra luna di miele."

Sofia finisce in coda dietro a un ragazzo alto, magro, capelli corti scriminati a sinistra, montgomery, faccia angelica e furba insieme. Non parla con nessuno, un po' snob. Lui la guarda, si guardano. Quello con la spilla gli sta dando istruzioni: "Vai con quella squadra verso la Fenice".

"Benissimo, anche se non so dove sia la Fenice. Sono di Padova. Mi ci porteranno."

"Ti ci porto io, mi chiamo Sofia."

"E io Marco."

Mentre solleva il sacco per lanciarlo dentro il barcone, Vittorio sente battergli sulla spalla. È la ragazzina Greta Thunberg: "Sono andati sotto tanti libri?".

"Centinaia."

"Me ne dai uno?"

"Perché?"

"Per ricordo."

"Ma sono rovinati."

"Fammi vedere..." dice lei infilando la testa in un saccone per sbirciare. "Quanto costano?"

"Non posso venderli."

"Fammi vedere." Si mette a frugare dentro il saccone. "Ma no, Vittorio! Non devi buttarli via."

"E cosa devo fare?"

"Ma guarda *Pinocchio!*" dice tirandolo fuori. "È quasi perfetto."

"Prendilo pure se vuoi."

"Voglio comprarlo."

"È gratis, insisto."

"Voglio pagarti."

"Ma dai."

La ragazzina continua a frugare: "Anche *Il grande Gatsby!* Volevo passare a prenderlo in questi giorni! Sono innamorata di DiCaprio". Poi grida: "Questo matto vuole buttare via i libri! Sacrilegio! Guardateli!" dice, mentre solleva *Pinocchio.* "Qualcuno ne vuole? Poesie della Szymborska? Rimbaud, Verlaine? I *Sillabari* di Parise? Metteteli un po' sul termosifone, ma non troppo che sennò si increspano!"

"Ce l'avete De Felice sul fascismo?"

"De Felice è asciutto, l'ho visto stamattina," risponde Vittorio.

"Allora dopo passo a prenderlo."

Si forma un mercatino. Vittorio non vuole soldi, ma tutti insistono per pagare, nessuno chiede il resto. Una signora discetta di Marías, convince un uomo molto magro a comprare *Gli innamoramenti* e *Berta Isla.*

Vittorio all'inizio si infastidisce.

Gente che non entra mai in libreria, che da lui non compra mai niente, neanche a Natale, adesso si appassiona perché quei libri sembrano un trofeo.

Gli pare macabro.

Ma poi pensa che forse la ragazzina ha ragione, forse c'è qualcosa che ancora non capisce, forse quei libri non sono perduti per sempre, anche quelli che hanno preso acqua, e anzi decide che ne terrà qualcuno in libreria: I LIBRI CHE SONO SOPRAVVISSUTI ALL'ACQUA ALTA; I LIBRI DELL'ACQUA GRANDA; I LIBRI DI VENEZIA. Non tutti magari, ma una decina, una ventina, le macchie che diventano storia, un modo per sopravvivere, chissà se è autorizzato a venderli, meglio forse regalarli, e per la prima volta pensa che quei libri non sono morti, anche se sono ammaccati, anche se non sono più perfetti – come capita agli uomini, di ammaccarsi, ma poi di restare vivi.

Subito gli torna in mente Sofia: "Vado a prendere moneta per darvi il resto," dice a tutti, ma non è vero, non è quello, corre verso la Moby Dick, deve controllare, come ha fatto a dimenticarsene, salta la paratia, accende la torcia.

No, non si era sbagliato.

Hikmet non l'aveva ancora preso, non l'aveva ancora messo da parte. Era sull'ultimo scaffale in alto.

Hikmet è salvo.

La squadra di Sofia e Marco è composta da nove persone. Si sono presentati, scambiano qualche parola durante il tragitto, un paio amano i film di Leslie Nielsen e ripetono a memoria le battute di *Una pallottola spuntata*, un ragazzino incolpa Donald Trump dell'alluvione, ma in generale non si perdono in chiacchiere; hanno troppo da lavorare. C'è un'abruzzese con gli occhiali da sole che studia design, un ragazzo che viene da Burano, uno di Bassano, pieno di lentiggini. Sono stati in campo della Guerra, poi in ruga Giuffa. Verso sera vengono mandati a San Luca per gli ultimi interventi. A Sofia e Marco viene assegnata una piccola abitazione, in un campetto dove c'è un supermercato bio con tutte le luci spente. "Ci potete andare da soli, è cosa da poco," dice il caposquadra, e loro si avviano.

"Adesso vorrei andare a dormire per due mesi," le dice Marco prima di suonare il campanello.

"Ma cosa dici! Domani si ricomincia. Ci sono un sacco di abitazioni ancora da pulire."

"Tu cosa studi?"

"Lingue orientali. E tu?"

"Ingegneria, quarto anno, sono un po' in ritardo. È che gioco a baseball."

"Sei uno sportivo e sei così stanco?"

"Per lanciare si usano muscoli diversi da quelli che servono per lavare i pavimenti."

"Se oggi mi avesse visto mia madre, non ci avrebbe creduto."

"Neanche la mia."

"Spero tu non abbia fatto foto."

"Una te l'ho fatta."

"A me?"

"Sì. Di nascosto. Dopo te la mostro."

"C'è la legge sulla privacy."

La porta si apre. Sarman, così si chiama l'uomo che li aspetta. È un signore con una nuvola di capelli bianchi, bretelle, pantaloni arancioni e maglione viola. Dà loro il benvenuto in cima a una rampa di scale, chiede se desiderano un caffè "o un gingerino".

"Un caffè, grazie, ma intanto ci mettiamo a lavorare," dice Sofia.

"Siamo in giro dall'ora di pranzo, da quando è scesa la marea," le fa eco Marco.

"Siete degli eroi!" replica il vecchio sorridendo.

"Ma si figuri."

"Lei di cosa ha bisogno? Qui mi sembra in ordine," osserva Marco, guardando il pianterreno.

"Quel che ho potuto, ho pulito io. Forse non era nemmeno necessario che vi scomodaste. Avevo detto che non era così urgente, invece siete venuti subito. La mia è una stupidaggine, una cantinetta che è rimasta chiusa. L'acqua ha gonfiato il legno della porta, non riesco più ad aprirla."

"Mi faccia provare," dice Marco.

"È quella davanti a te."

Il ragazzo gira la maniglia, sente resistenza. Prova a dare una spallata, ma la porta non cede. "Maledetta," dice Sofia. "Fatti aiutare," aggiunge. Marco mette un piede contro la parete, afferra la maniglia con entrambe le mani, Sofia gliele stringe sopra, adesso provano a tirare insieme, sbuffano, provano una volta, una seconda, la porta si apre di botto. È uno scantinato, più basso di una trentina di centimetri rispetto al suolo. Da lì, l'acqua non riesce a defluire; è una vasca, zeppa d'acqua putrida.

"Il caffè è pronto, ve lo porto subito. Ma siete sicuri di non voler salire?"

"Sì, sicuri, grazie mille. Lo beviamo al volo. C'è molto da lavorare."

"Zucchero?"

"Per me no, grazie."

"Neanche per me."

Sarman arriva con due tazzine di ceramica, bianche e azzurre, che tremano su un vassoio un poco arrugginito. Porge il caffè ai ragazzi e nel frattempo sbircia nello scantinato: "Una piscina. Avrei dovuto immaginare che l'acqua non va giù da sola. Ma come faccio a toglierla? Ho la schiena a pezzi".

"Siamo qui apposta. Ci serve un secchio, meglio un paio, per togliere il grosso. E qualcosa di più piccolo, se ha un contenitore di plastica, tipo quelli dove si mettono gli avanzi, e poi degli stracci, per il lavoro di fino. Questo pomeriggio abbiamo finito un intervento identico. Serviranno un paio d'ore."

"C'è la corrente elettrica?" chiede Marco.

"Sì. Accendo subito la luce."

Il vecchio si guarda intorno, pensieroso. "Riuscireste per cortesia a prendere quella scatola?"

"Quale?"

"Quella tonda. Rossa."

Sofia fa due passi nell'acqua, la afferra, la sente umida. Anche se adesso è all'asciutto, nella notte è andata sotto. Si sbriciola tra le mani. "Eccola."

Il vecchio la apre, tira fuori un quadernetto. È fradicio anche quello, Sarman lo strizza, lo apre, prova a guardare in controluce. "Sono appunti di mia moglie, i quaderni per le sue lezioni. Faceva la maestra, ora lei non c'è più. Non riuscivo a tenerli su, non posso vederli troppo spesso, non voglio averli intorno. Per fortuna si riescono ancora a leggere."

Vittorio ha capito che i libri non bisogna metterli ad asciugare sul termosifone. A stare al caldo si increspano, si rovinano ancora di più. Bisogna usare il phon, aria fredda, una pagina alla volta. È un lavoro infinito, frustrante. Lo fa con pochi libri, alcuni che forse può ancora vendere, alcuni a cui tiene particolarmente, che non vuole perdere. Sta andando avanti con Zweig, è alle pagine in cui lo scrittore è tornato dalla Svizzera, vede lo sfacelo della sua Austria, della sua Vienna, la sua città che non c'è più.

"Permesso?"

È un uomo basso, muscoloso, tuta gialla e blu e borsa a tracolla. Ha un forte accento veneto, la *e* aperta. Fischietta una canzone di Venditti.

"È chiuso," gli dice Vittorio, quasi in malo modo. Ha già

dovuto cacciare più di qualche turista entrato per fotografare, curiosare.

"Sì, immagino. Ma non sono mica venuto per comprare libri, non ho mai tempo per leggere."

"Ha bisogno di qualcosa?"

L'altro non lo ha ascoltato, si sta guardando intorno: "Mi piacciono le librerie così. Piccole, curate. È tutto legno?".

"Sì."

"Adesso le fanno di plastica."

"Beati loro. Si pulisce meglio."

"Sì, ma sono brutte. Come se facessero i libri di plastica."

L'uomo avanza nella bottega. "*Amiiici mai*," canticchia sovrappensiero. Spia dietro gli scaffali, dietro la cassa. Vittorio non capisce cosa stia facendo.

"Come va l'impianto elettrico?"

"Saltato tutto."

"Sott'acqua?"

"Alla Tania Cagnotto."

"Io sono un elettricista, vengo da Treviso. Sto girando da stamattina per sistemare gratis gli impianti. Posso dare un'occhiata qui sotto?"

Quando Sofia e Marco finiscono di svuotare lo scantinato sono quasi le undici di sera. Nel giro di un paio d'ore, mentre loro lavoravano con stracci e secchi, Sarman gli ha raccontato l'epopea della moglie; l'infanzia in Jugoslavia, Tito, "la barca al largo delle coste croate, con i gabbiani che tornano indietro e gli esuli che proseguono", le vecchie canzoni dei profughi, "*Andemo a Valun*", l'arrivo a Venezia, lui che la incontra in pasticceria "da Vivenzi, che adesso non c'è più", i "boccoli d'oro" che le contornavano il viso, i figli, venuti grandi, che vivono a Mirano "e non mi danno nipoti", la passione per il risotto.

Adesso vorrebbe regalare loro qualcosa, dei cioccolatini, una bottiglia di vino.

"Torneremo a berci un caffè," dice Marco.

"Spero proprio di sì."

Marco e Sofia raggiungono gli altri in campo San Luca. Sono già tutti lì, hanno finito anche loro. La giornata è stata dura, si ritrovano per l'ultima volta, hanno bisogno tutti di andare a casa, di farsi una doccia.

"Ci si vede domani?"

"Certo."

Controllano su facebook la prossima convocazione di Venice Calls.

Lo staff, identificabile da una spilla, sarà operativo sul posto e aspetterà i volontari per informarli sull'azione, in due punti di ritrovo: in campo San Giacomo dell'Orio e rio della Tana, in via Garibaldi. In questi punti di ritrovo ci saranno le barche Veritas per la spazzatura, che arriveranno in loco alle 14.00. Se volete aggiungervi al gruppo volontari vi terremo aggiornati sulle prossime richieste d'aiuto. Di seguito il link per accedere al gruppo. Info importanti: è consigliato di portare guanti, sacchi, carretti da lavoro, scope! Vietato il trasporto di rifiuti Rae (elettrodomestici/elettronici) e ingombranti (mobilio di qualunque tipo e dimensione). Tutti i rifiuti raccolti devono essere portati ai punti di ritrovo designati, evitando che si creino spontaneamente discariche in giro. Vi aspettiamo ragazzi!

"San Giacomo è dove lavoro io," dice Sofia.

"Lavori?" chiede Marco.

"Sì. In un bar di cinesi. Odio chiedere soldi ai miei."

"È vicino alla stazione, San Giacomo?"

"Sì. Cinque minuti."

Marco la guarda: "Bene, allora mi sarà comodo. Torno

senz'altro, se riuscirò ad alzarmi dal letto, visto che sento dei lancinanti dolori intercostali".

"Io farei testamento."

"Non è che potresti accompagnarmi a Santa Lucia, stasera? Non saprei che strada prendere. È un labirinto, questa città. E temo di perdere il treno."

Sofia sorride: "Certo".

"Se perdo il treno poi ti tocca ospitarmi."

"Puoi dormire con mio padre."

Lui guarda l'app del telefonino: "Ho l'ultimo tra mezz'ora".

"Allora sarà meglio sbrigarsi. Sei già in ritardo."

Marco e Sofia salutano gli altri, promettono di rivedersi il giorno dopo. "Siamo di fretta," taglia corto Sofia. Si incamminano insieme, di buon passo. "Meglio evitare Strada Nuova, tagliamo per le scorciatoie."

"Peccato che non possa offrirti qualcosa da bere."

"È tutto chiuso, come vedi."

"Ti hanno mai detto che sei molto bella, Sofia?"

Lei ride. "Sì. Me lo dicono sempre."

Sento un po' di trambusto in calle. Mi stupisco, di solito a quest'ora c'è silenzio, a parte un locale che sta aperto fino a tardi. Mi affaccio alla finestra. Ci sono decine di persone in calle del Tentor.

La pizzaiola ha messo un paio di tavoli fuori dal locale, porta pane e soppressa. La signora che abita davanti, una con la faccia larga, arriva con una pentola piena di spaghetti al ragù. "Per fortuna che ne avevo parecchio congelato." Chung porta delle birre, quello dell'enoteca sul ponte spinge fuori dei grandi fiaschi di Raboso. "Si sono bagnati, ma le bottiglie sopravvivono sempre!"

La gente chiacchiera, si rilassa, il lavoro è finito, l'acqua tornerà, la fatica anche, ma è giusto fermarsi, non pensare troppo, ricominciare a scherzare. La ragazza degli zaini ha tre uomini intorno, uno è il fidanzato. Ci sono altre due ragazze che parlano con il parroco, una bionda oro e una bionda cenere, hanno dato una mano tutto il giorno in calle; una vive qui dietro, a San Zan Degolà, una volta le ho viste baciarsi, ma quando erano sicure che non ci fosse nessuno.

E poi il venditore di pianoforti apre le porte e comincia a suonare qualcosa sullo Steinway. È una musica dolce, all'inizio, sembra Chopin, ma poi vira in qualcosa di più ritmato. Finito il concerto di classica qualcuno accende uno stereo, tocca alla musica dance, e poi subito comincia quella latina di gran moda (orribile), tutti quelli che erano ancora in casa scendono in calle, o si affacciano, e questa volta non per lamentarsi del rumore, come fanno di solito, ma incantati, emozionati, e poi si fermano anche quelli che passano per caso, prendono un bicchiere di vino, un brindisi, un pezzo di grana.

Io sono alla mia finestra e per la prima volta, dopo tanti anni, anche a me viene voglia di ballare, nonostante il reggaeton.

Maledette ginocchia.

Vittorio si unisce tardi alla festa, esce dalla libreria verso le undici insieme all'elettricista: "Abbiamo fatto il grosso".

"Non so come ringraziarti."

"Sono felice di averti aiutato, Vittorio."

L'elettricista stringe il regalo del libraio, *Il centenario che saltò dalla finestra e scomparve*, di Jonas Jonasson.

Vittorio si guarda intorno.

Sofia non c'è.

È che l'acqua ritorna.

Appena pare che sia finita, di averla vinta, di averla ricacciata indietro, subito riappare. Qualche volta sta un'ora, due; qualche altra sta quasi tutto il giorno, con pochi intervalli in cui scompare del tutto. Viene alta, viene bassa. E quando non c'è, è come se ti guardasse da dentro il canale, a lambire la riva, come se fosse comunque pronta per tornare. Fa impazzire, fa quello che vuole.

Che io mi ricordi, non è mai stato così.

Non è solo il disastro del 12, l'evento eccezionale.

È che l'acqua sembra più alta.

E se davvero non se ne andasse mai più?

E se Vittorio non riaprisse?

E se non riaprissero tutti i negozi della calle?

E se Venezia fosse finita, così?

Non lo affermano già, molti studi, che Venezia finirà sott'acqua?

E se ci fosse già finita?

È che non ci si pensa mai, alle cose tragiche. Non ci si prepara mai. Anche quando sono annunciate, prevedibili. E noi siamo fragili. Così fragili.

Dalla mia finestra, Venezia è sempre vuota. La gente sta al balcone, non va in giro, cerca un po' di conforto a chiacchierare con i vicini. Almeno così si combatte il silenzio, lo sciabordio dell'acqua. Ma non è vita questa. Per la maggior parte del tempo si sta in casa, a far niente, ad aspettare che passi.

E il tempo non passa mai; non riesco nemmeno a leggere, a cercare una sciarpetta carina, non riesco a fare niente. Tutto mi annoia, tutto mi angoscia. Mangio, sì, provo a dormire. Aspetto che finisca quest'incubo.

Il 15, di nuovo, è un disastro.

L'acqua riparte altissima dal mattino. Centocinquantaquattro alle 11.35.

Ogni giorno va di nuovo tutto sotto, non ci sono i turisti, non ci sono i pendolari e pochi negozi sono riusciti a riaprire. Quasi solo quelli essenziali, quelli per mangiare. E si esce così, per fare la spesa e rientrare subito a casa. È aperta la Conad di rio Marin, per esempio, ma dentro mancano cose, non si trovano sacchi dell'immondizia, acqua minerale, sale, e poi il supermercato chiude all'improvviso, a mezzogiorno magari, perché sta arrivando la marea. Anche dopo molti lavaggi, alcuni esercizi puzzano. Si fa perfino fatica a pagare: i pos non funzionano, e nemmeno i bancomat, o gli sportelli ATM per il prelievo che hanno invaso la città.

L'acqua entra, affiora dai pavimenti. La muffa sbuca dai muri. Il sale ricama piccole barbe sui mattoni.

In mezzo al campo, intorno a un albero, c'è la più grande catasta di rifiuti che io abbia mai visto. Scatoloni, sacchi, cassette della frutta.

È tutto vuoto.

Eppure, appena l'acqua si ritira, appena c'è un momento, tornano fuori i ragazzi, a pulire, a sistemare, a mettere in salvo quello che si può. Anche se non serve, qualche volta, anche se devono fare il lavoro due volte. Loro non si rassegnano.

Spero che questo libro ti piaccia.

Spero che le poesie del poeta turco Nazim Hikmet ti piacciano.

E quello che vorrei dirti di più bello ancora non te l'ho detto.

A una cliente affezionata.

A una cliente a cui sono affezionato.

Ti piaceranno le poesie del poeta turco naturalizzato polacco Nazim Hikmet?

A una studentessa promettente.

Vorrei baciare i tuoi capelli neri, le labbra tue e gli occhi tuoi severi.

Con i migliori auguri per il tuo percorso accademico di successo.

Ogni tanto ti penso nuda.

Spesso ti penso nuda.

Veleggia con serietà nel mare della vita e dell'università.

Ti penso quasi sempre, anche nuda, ma non perché sono un maniaco, perché tu sei bellissima nuda, ne sono sicuro anche se non ti ho mai visto così.

E quello che vorrei dirti di più bello ancora non te l'ho detto.

È vero che ho quarant'anni e tu venti, ma non mi pare un buon motivo per non farti un regalo.

Non lo so che cosa ci accadrà, Sofia. Non può saperlo nessuno. Non mi importa. Mi importa solo quando entri in libreria, mi importa quando mi chiedi i libri.

Domenica 17 vengono ancora 154 centimetri.

Il venditore di pianoforti non va neppure più in negozio, e nemmeno il ragazzo con i vetri taiwanesi. La pizzaiola fa i conti dei mancati incassi, degli stipendi dei camerieri, non sa come fare se continua a restare chiusa a lungo. E se anche riaprisse, chi è che poi verrebbe a prendersi una pizza?

Vittorio è sempre chiuso dentro la libreria.

Anche lui è angosciato, ma pensa che deve riaprire.

Magari andrà in perdita, magari non verrà nessuno, la libreria resterà vuota, ma in questo momento deve dare un segnale, deve accendere la luce della vetrina. D'altro canto, nelle pause dell'acqua è riuscito a fare molto. E comunque la marea non ha più passato la paratia. L'impianto elettrico è sistemato, i libri hanno ripopolato gli scaffali, per prudenza ha lasciato vuoto solo il più basso. Nonostante tutto gliene sono rimasti molti, a qualcuno è andata peggio. Ma come può non avere Pascal? Come può non avere la Ferrante, Harry Potter e Agatha Christie? Sta facendo la lista di quelli che ha perso. A ogni titolo che scrive guarda i prezzi, le edizioni, a qualcosa rinuncia ma deve riassortirne parecchi. Anche se non ha più sentito Alvise junior, non ha certo dimenticato l'aumento dell'affitto. Così, adesso che si sente più lucido, sta facendo un po' di conti. In fondo, se dovesse liquidare l'attività, se dovesse chiudere, sarebbe questo il momento giusto. Non avrebbe senso riassortire la libreria per pochi mesi, sapendo già di dover sostenere il costo di un trasloco. Meglio avere tutto chiaro. Anche perché è il modo per capire come può negoziare con Alvise junior.

Vittorio crea un file Excel.

Ricavi medi mensili, spese, bollette, tasse, giacenza di conto, il tesoretto che aveva da parte per comprarsi una piccola barca da poche migliaia di euro. Tolti i danni, ipotizzando un risarcimento da parte dello Stato, un prestito con un tasso agevolato, e sperando che la situazione si normalizzi, almeno un poco, anche se non tornasse proprio come prima, se riuscisse a fare un po' di sacrifici, a regime potrebbe pagare per il fondo un canone fino a duemilaottocento, tremila euro al mese. Deve parlare con Alvise junior, gli pare un'offerta ragionevole, una via di mezzo tra il punto di partenza e la nuova richiesta. E poi Alvise junior capirà che c'è stata l'acqua "granda", che bisogna darsi una mano, venirsi incontro, in un momento così.

Vittorio prova a chiamarlo, è fiducioso, si sente convincente, pensa che la spunterà, e pensa di poter ancora salvare la Moby Dick, la libreria non è affondata. Ma Alvise junior non risponde e allora lui lo richiama. Ancora niente. Attende un paio di giorni, riprova a chiamare ma non riesce a contattarlo.

Gli manda un whatsapp: *Tremila.*

È lunedì, la libreria è aperta.

Ma è deserta, come gli altri negozi della calle. L'acqua oggi non dovrebbe venire, e comunque non sarà così alta come nei giorni precedenti. Ma gente in giro non se ne vede.

Vittorio esce e fuma una sigaretta.

Lo vedo dalle finestre, ma non mi va di chiamarlo. Mi domando a cosa pensa; c'è preoccupazione, sì, ma c'è anche come una forza che non gli avevo mai visto nello sguardo.

Dall'altra parte del campo esce il parroco di San Giacomo; saluta da lontano Vittorio, che ricambia.

"Finirà mai quest'acqua?" chiede.

"Se non rimani nemmeno tu, a confidare nella Provvidenza!"

"Il cielo ci mette alla prova."

"Hai avuto danni?"

"I tappeti sono a lavare. Il fondo della croce è bagnato. I pavimenti sono dell'anno mille, il salso li mangia. Adesso stanno facendo un primo trattamento, ma hai idea di quanto costa?"

"Non voglio neanche saperlo."

"E poi non è quello. È che non abbiamo detto messa. Capisci? Non succedeva forse dalla Seconda guerra mondiale, dai bombardamenti. Capisco che a te poco importa, visto che non ci vieni mai, ma capisci cosa vuol dire? La chiesa chiusa. Neppure la speranza."

"Sì. Con i negozi chiusi questo non sembra nemmeno più il campo."

"Molti stanno finendo di sistemare."

"Dipende da quanto dura. Non so se riapriremo tutti."

"Ma sì, dai. In qualche modo ce la faremo."

"Mai perdere la speranza."

"Mai."

"Mi fai entrare in libreria? Hai una Bibbia o è finita sott'acqua anche quella?"

"No. Alla Bibbia non è successo niente. Era su uno scaffale alto. Come tutta l'editoria religiosa."

"Un segno divino! Me la prendi?"

"Ma a cosa ti serve una Bibbia?"

"Be', di solito i preti non la leggono, ma io sì."

"Ma ne avrai già una."

"Ne ho molte. Ma tu, che ami i libri, non dirmi che non ti piace avere più edizioni diverse dello stesso. Non è un piacere?"

"Se lo stai facendo perché pensi che sia in difficoltà..."

"Mica lo faccio per te! È di buon augurio comprare una Bibbia dopo il diluvio universale."

"Sei rimasto cattolico o sei diventato superstizioso?"

"Non dire stupidaggini."

Vittorio porge il libro al prete, che si mette a sfogliarlo, lo appoggia sul banco e tira fuori alcune banconote. "Anzi, Vittorio, volevo ordinartene una trentina, di Bibbie, se riesci, di quelle più semplici, edizioni San Paolo, fammi un bello sconto. Non importa quando arrivano, non sono urgenti, naturalmente ti lascio un acconto."

Carlo è venuto verso le cinque, senza Camilla.

Alto, sgraziato che pare uno struzzo, cammina come fosse sempre sul punto di cadere. "Sono contento che tu abbia riaperto."

"È stato un macello."

"Parecchi danni?"

"Meglio non pensarci. E voi, problemi in casa?"

"Sì. Stiamo al secondo piano, ma l'acqua ci ha invaso un magazzino. Tre giorni di lavoro per sgomberarlo. Non lo aprivamo da anni, in realtà ne abbiamo approfittato per fare ordine, buttare via roba vecchia. Era pieno di cose che non ci servono più, che ci eravamo proprio dimenticati di avere. Vecchi VHS... registravamo programmi che non abbiamo mai rivisto. *Giochi senza frontiere*, tipo. E poi mia moglie ha insistito per provarsi una gonna... ho cercato di farla desistere, lo sapevo che non ci sarebbe entrata... Insomma, uno strazio."

"Come sta tua moglie?"

"Bene, dai. Quella notte era molto spaventata, ma lo ero anch'io."

"L'acqua era... folle."

"È che... è strano... lo sai che questi giorni ci hanno fatto bene? Per la prima volta dopo vent'anni, non abbiamo litigato a far qualcosa insieme. Forse abbiamo sempre sbagliato tutto: il venerdì sera non dovremmo andare al cinema o a mangiare alla Zucca, dovremmo sfregare i pavimenti con la candeggina."

Vittorio ride, e anche Carlo. "Siamo sempre sul punto di mollarci, ma alla fine non ci molliamo mai. C'è qualcosa di profondo che ci lega."

Il libraio ha venduto poco, ma è contento; è comunque più di quello che si aspettava.

Qualcuno che non vedeva da tempo è venuto a salutare, e

pazienza se non ha comprato niente, è un momento di difficoltà per tutti. E poi ha chiamato un funzionario della Siae; passeranno nei prossimi giorni, stanno creando un fondo per sostenere le librerie.

Il ragazzo dei vetri taiwanesi è rimasto senza clienti tutto il giorno, ha chiuso presto, se n'è andato in fretta. La pizzeria fa solo asporto, perché ancora deve finire di sistemare. Però più di qualcuno si è portato via una pizza, stufo di farsi da mangiare a casa da giorni.

Vittorio si sente stanco, sono stati giorni pesanti, appena si allenta la tensione crolla di fatica, ma è soprattutto l'assenza di Sofia che gli toglie energie.

Non si è più fatta viva.

Dov'è finita?

Il bar di Chung è chiuso, lei non è venuta a salutarlo. Cosa mi ero messo in testa, si dice. È evidente che a lei non importa di me, cosa vado mai a pensare, vorrà stare con uno della sua età.

Vittorio è triste.

Sono le sette, decide di chiudere. Esce, sta già girando la chiave nella toppa.

"Stai chiudendo?" gli chiede il professore di matematica.

"Sì. Volevi prendere qualcosa?"

"Entra e chiudi la porta!"

"Perché?"

"Non fare domande."

Vittorio obbedisce, divertito dal tono dell'altro, sempre un poco teatrale, che in questo momento pare debba consegnargli una valigetta piena di cocaina o di armi nucleari.

"Come mai tutti questi misteri?"

"Una cosa importante."

Il professore tira fuori dalla tasca una busta rigonfia e stropicciata: "Avevo tenuto questi risparmi per un'emergenza, è venuto il momento di usarli".

"Vuoi un consiglio su come spenderli?"

"No. Voglio darli a te."

"Ma stai scherzando?"

"Per niente."

"E allora sei impazzito."

"Sono accorto, vorrai dire. Se non furbo. Mica te li regalo, cosa avevi pensato? Mi apri un conto sui prossimi acquisti."

"Ci metterai un anno a esaurirlo."

"Sono 877 euro. Fai una carta, segnati tutto... anzi, vienimi incontro e dammi un credito di 900 euro."

Alvise junior continua a non rispondere.

Vittorio non vuole pensarci, l'ansia lo morde a tratti, cerca di distrarsi. Sta in libreria, in mezzo ai suoi libri. L'elefante di Saramago è arrivato a Vienna.

Cosa potrebbe leggere, adesso? O rileggere, magari, un'altra cosa che gli piace moltissimo fare. Tolstoj o Turow? Franzen o Ginzburg? Forse potrebbe rileggere Zweig, ha asciugato ogni pagina con meticolosa pazienza. Adesso è un piacere sfogliare quel libro appena un po' più grosso, gonfiato dalla marea. Gli pare un antico manoscritto ritrovato nel deserto, una scoperta da Indiana Jones, qualcosa di ancora più prezioso. Cerca una frase che gli pare di ricordare, una cosa tipo "per quanto nella vita succedano cose apparentemente prive di senso, in realtà tutto il destino ci porta lì dove deve portarci". Ha provato a scorrere, a ritrovare l'episodio del romanzo, ma niente. Ci resta un po' male, forse la frase se l'è inventata lui, ogni tanto gli capita, di ricordarsi dei libri diversi da come sono realmente, ma in fondo è la magia dei libri, che tanto te li prendi come vuoi, diventano tuoi.

Guarda l'orologio.

Sono le undici, e lui non ha fame e neppure voglia di andare a casa. Da giorni non si muove da San Giacomo, confinato tra casa e lavoro, forse deve solo camminare un po', andare da qualche altra parte. Sofia, Venezia, la libreria; ha bisogno di prendere aria, di chiarirsi le idee.

Non c'è acqua in giro, forse salirà un po' nel cuore della notte, così dice il Centro Maree, lui si mette comunque gli stivali.

Sistema la paratia, chiude, scende lungo calle del Tentor verso San Boldo, dove un campanile senza più chiesa si appoggia a una casa illuminata. Procede per Santa Maria Mater Domini, scorge il vecchio palazzetto medievale, così più vecchio di tutti gli edifici intorno; gli fanno tenerezza le finestre strette, quelle invece murate, gli fa impressione un posto dove si abita ancora, dopo sette, otto secoli. Pochi lampioni funzionano, ma non gli importa, conosce a memoria ogni passo, ogni angolo, ogni negozio. Vede poche persone in giro; una ragazza porta a spasso il cane, due discutono di calcio, un gruppo di cinque ragazzi pakistani corre verso piazzale Roma per rincasare in terraferma con l'autobus. Supera le vetrine di Pierre Cardin, va oltre il sotoportego di Siora Bettina, campo San Cassiano, il mercato del pesce, le bancarelle della frutta vuote, arriva presto a Rialto, meno di dieci minuti, sale sull'immensità deliziosa del ponte, di solito si fermerebbe lì, a guardare i due lati del Canal Grande, a domandarsi senza poter rispondere quale dei due sia il più bello, ma questa volta no, ha voglia di camminare veloce, anche se gli stivali gli fanno un po' male.

Ha deciso che deve arrivare a San Marco, come se solo lì potesse capire qualcosa, di tutto quello che gli succede, della vita, e del senso di stare qui, al mondo, in questo mondo che si è fatto cattivo eppure è ancora bello, in modo inaspettato, in questa natura che si è fatta cattiva ma un poco cattiva lo è sempre stata, solo che adesso è peggio, adesso che il clima sembra impazzito e lui, il libraio della Moby Dick, il libraio di Venezia, non sa che cosa farà, che cosa può fare.

Spegne il telefonino. Il messaggio di Alvise junior non vuole riceverlo adesso, ha altro a cui pensare.

Va oltre San Bartolomeo, si infila per le Mercerie, Venezia si restringe come il corpo di una donna, lui scruta le botteghe, il negozio di scarpe e quello di orologi, le collane e i cappotti, Zegna e i *cicheti*, un vecchio negozio di dischi, forse l'ultimo, e tutte le vetrine gli sembrano belle come sempre (forse non proprio tutte, perlomeno non quelle delle caramelle fluorescenti), tanti negozi hanno riaperto, forse ce la si può fare, e allora gira intorno alla piazza, perché vuole vederla dalla Bocca, lì, sotto le Procuratie dove la piazza comincia, vederla tutta insieme. Man mano che si avvicina trova qualche pozza, ma stasera l'acqua sale piano, stasera è una carezza, non fa paura, ecco, ancora qualche passo e poi lei è lì, in fondo, la Basilica, ancorata come una nave che nessun mare può affondare. Il campanile, il Palazzo Ducale, le Procuratie, l'oro che nel buio si deve immaginare.

Venezia è sempre lei.

Venezia è meravigliosa.

Adesso, sì, può tornare indietro.

"Vittorio!"

È di nuovo a San Bortolo, davanti alla farmacia Morelli, dove c'è il contatore dei residenti rimasti a Venezia, sempre in calo. Oggi segna meno di 53.000. Quella voce la riconosce subito, anche se gli pare un sogno che sia proprio Sofia, quasi non ci crede. Ma dov'è? Si guarda intorno, sì, è proprio lei: è poco più in là, sotto la statua di Goldoni, un paio di jeans, scarpe da ginnastica bianche.

"Ti sta bene questo cappotto rosso."

"È nuovo. Ho dovuto comprarlo, l'altro mi si è rovinato."

Suonano le campane; è mezzanotte. Vittorio è emozionato, proprio non se l'aspettava di rincontrarla così, è un incantesimo. Venezia, loro due soli, la prima volta lontano da San Giacomo, fuori dal bar, fuori dalla Moby Dick.

"Come stai?" gli chiede lei.

"Come stai tu, piuttosto, sono giorni che non ti vedo. Ero preoccupato."

"Adesso bene, grazie."

"Ma cosa ti era successo?"

"Febbre. Sono stata una settimana a letto con trentanove."

"E adesso sei in giro a passeggiare?"

"Mi sento bene, adesso. E poi avevo bisogno di uscire. Sono arrivata a San Marco."

"Anch'io."

"Siamo uguali."

"Un po'."

"Avevo voglia di stare un poco con Venezia, volevo farci la pace."

Vittorio la guarda, e pensa una volta di più che non saprebbe dire così bene quello che lei dice sempre con esattezza.

"Non andiamo a casa," dice Sofia.

"No. Non c'è niente di più bello che passeggiare per Venezia deserta."

"Dove mi porti?"

"Non hai gli stivali?"

"C'è acqua?"

"Poca, ma sta salendo."

"Faremo in modo di evitarla."

"Andiamo a caso."

"Dai, perdiamoci."

Si incamminano per la corte del Milion, dove ci sono le case dei Polo, e poi verso Santa Marina, in direzione Castello. Parlano poco, ogni tanto, più spesso stanno in silenzio; è la confidenza che hanno, di cui all'improvviso si accorgono. Sofia gli indica le cose che le piacciono: una trifora, lo scorcio di un palazzo, una camicetta con le balze nella vetrina di un negozio.

"Come va con la libreria?"

"Ho riaperto. Ma non è semplice, ne capita una dietro l'altra. Ho avuto danni per decine di migliaia di euro. E poi mi hanno aumentato l'affitto. Sto cercando di contrattare, ma non ho molte speranze. Mi chiedono quasi il doppio."

"Una bella botta."

"Dei bei bastardi."

"Ce la farai!"

"Non lo so, Sofia. Ci penserò domani."

"Io ne sono convinta."

"Se lo dici tu, allora ci credo anch'io."

Chiacchierano delle feste imminenti. A tutti e due piace Natale, tutti e due si immalinconiscono a Capodanno, l'ansia di organizzarsi per una festa che non sentono, che gli fa più tristezza che allegria. Forse durante le vacanze saranno entrambi in Cadore. Lei vorrebbe andare a sciare, lui non scia più da anni. Venezia li ascolta, li guida dentro nuove calli, nuovi campi. Non fa freddo.

La città è tutta loro.

"Andiamo a San Francesco della Vigna?" chiede lei.

"È tantissimo che non ci vado."

Arrivano fin lì, ma non si fermano. Scorgono le mura alte dell'Arsenale, sbucano per San Martino, proseguono per la Porta dei Leoni, e poi cercano senza fretta calli piccole, ponti storti, finestre di case popolari, socchiuse, quel poco di emozione, di pericolo, che viene quando non sai bene dove andare, quando prosegui per qualche metro seguendo una calle che finisce in un canale, che si può solo tornare indietro. Giardini, San Giuseppe, San Pietro di Castello e poi di nuovo verso casa, lenti, dal palazzetto dello sport.

A un certo punto trovano una calle allagata, oltre un ponticello. Sofia ha le scarpe basse e non può passare, non può saltare l'acqua.

"Vuoi che torniamo indietro?" le chiede Vittorio.

"Prendimi in groppa," gli dice lei.

Qui a Venezia si fa così, con le ragazze. Vittorio si accuccia, lei fa un salto su quella schiena forte, gli si aggrappa con le braccia intorno al collo, "Non così", "Attenta", "Cado", ridono, devono tentare di nuovo, non sono pratici, sono un po' emozionati, lui ha paura di stringerla troppo, di toccare chissà che parte del corpo, lei prende la rincorsa, "Bloccati con tutti e due i piedi, senza sbilanciarti", si serra davanti stringendo le gambe, adesso possono andare, scavalcano la pozza, Vittorio la appoggia di nuovo a terra.

"Sana e salva."

"Erano anni che non portavo qualcuno sulle spalle."

"Figurati. Ne porterai una diversa ogni giorno."

"Magari."

"Magari cosa?"

Ride Sofia, che adesso è qualche metro davanti a lui. Si raccontano la notte del 12, scoprono che entrambi sono finiti in acqua. "Neanche Fantozzi," dice lei. "Adesso ci scherzo, ma ti giuro che quella sera ho pensato che l'acqua mi avrebbe portata via. Ero alle Zattere, c'era un vento fortissimo, l'acqua faceva proprio delle onde, come nemmeno al Lido d'estate, sono stata una pazza a uscire. E non ti dico l'impressione di vedere l'edicola sradicata e trascinata via."

Vittorio le dice invece il terrore dell'acqua che passa la paratia, che risale dal pavimento, e poi il dispiacere di aver visto i libri galleggiare in campo San Giacomo, ma le dice anche dell'elettricista, la serata in calle, quell'allegria inaspettata in mezzo al naufragio. "Mi sarebbe piaciuto, se tu fossi passata. Ti saresti divertita; l'edicolante era scatenato, ci insegnava i balli bengalesi."

"Ho accompagnato in stazione un ragazzo che era venuto ad aiutare. Appena il treno è partito mi è venuto un mal di gola lancinante. Mi girava la testa, avevo i brividi, non so come sono riuscita ad arrivare a casa."

Continuano a camminare, e ogni tanto si sfiorano, lievissimi, e subito si allontanano, come se i loro corpi, le loro braccia cercassero un contatto ma ne avessero paura.

Trovano ancora dell'acqua sul percorso.

"Ti prendo?"

"Questa volta voglio camminare sul parapetto, tienimi per mano."

Lui la solleva, lei si alza in piedi, cammina prudente su quei pochi centimetri, le dita stringono quelle del libraio, proseguono fino a un ponte poco più avanti.

"Dove andiamo adesso?" chiede lui.

"Torniamo a San Marco?"

"Va bene."

"Nessuna passeggiata ha senso se non finisce a San Marco."

"Sono d'accordo."

Venezia profuma. Si è fatta quasi tiepida. San Giorgio degli Schiavoni, Bragora, San Zaccaria e poi fuori alle Prigioni, per tornare in riva.

"Come è andato il tuo esame?"

"Non mi sono presentata."

"Come mai?"

"Non lo so. Ogni tanto faccio queste cose."

Passano il ponte della Paglia, guardano quello dei Sospiri. La piazzetta, le colonne, i tavolini del Todaro e del Chioggia incatenati. Poco più avanti, è tutto sommerso dall'acqua. "Mi prendi in groppa?" chiede lei, e adesso è facile, è automatico. Lui si china, la fa salire sulla schiena, non perdono l'equilibrio, le mani di lei gli sfiorano il collo, è la magnificenza della piazza, lì in mezzo, lo sfarzo di quella bellezza, e anche l'acqua, lì, pare avere un senso, un motivo, pare dire che le cose forse non durano in eterno, bisogna viverle finché ci sono, finché sono belle.

"Portami sopra il leoncino," dice lei, indicandolo.

Salgono sul rialzo, lui la appoggia.

"Ti peso?"

"No."

"Hai il fiatone. Vuol dire che ti peso."

"Non sono in forma."

"Sono io che sono grassa."

"Come un colibrì."

"Un colibrì obeso."

Sofia sale a cavallo di un leoncino, "Lo facevo sempre, da bambina", stringe le braccia sotto il muso della bestia, si sporge in avanti, lo sguardo assorto. Il libraio si mette sull'altro leoncino, nella stessa posizione.

"Che cosa ti fa paura, Vittorio?"

"Non lo so. Il dolore, credo. E a te?"

"A me i topi."

Restano lì mezz'ora, incantati, si parlano, si prendono in giro, finché l'acqua non scende del tutto. I Mori della torre battono l'ora, Sofia guarda l'orologio: sono le tre del mattino. "Torniamo a casa, sono stanca. Domani Chung riapre, devo prepararti il caffè."

"Va bene," dice lui, che non riesce a dire altro.

Si rimettono a camminare, e Vittorio all'improvviso si accorge che il tempo sta finendo, quella notte insieme sta finendo.

Vuole baciarla.

È il momento. Deve avvicinarsi, è l'unica cosa che desidera, l'unica al mondo, ma lei va veloce, fa silenzio, non accenna a fermarsi, magari sopra un ponte, per incoraggiarlo ad abbracciarla, per dargli modo di avvicinarsi, di stringerla, non c'è nemmeno più acqua per terra che li rallenti, Venezia è diventata veloce, come capita all'improvviso, quando smetti di guardarla e ci cammini dentro, e allora Vittorio si intristisce, si impaurisce, viene fuori la sua timidezza, e pensa che avrebbe dovuto già darglielo, il bacio, che ci sono dei momenti in cui le cose vanno fatte e basta, quella mezz'ora a San Marco, quando ce l'aveva in braccio, doveva solo voltarsi, sarebbe stata la cosa più naturale del mondo, baciarla, loro due, sedersi sopra lo stesso leoncino, ma adesso lei sembra stanca, o forse è delusa, va troppo veloce per volerlo, pensa Vittorio, o forse, chissà, lui ha equivocato, a Sofia non importa di lui, ha qualcun altro, lui proprio non le piace, d'altro canto ha quarant'anni, lei poco più di venti, queste cose nella vita non funzionano, o almeno non a lungo, non ha neanche senso viverle, perché finiscono male, e i due arrivano a San Moisé, poi San Maurizio, Santo Stefano, e lei non accenna a rallentare, a fermarsi, "Cinque minuti e ci siamo, sto dietro la Guggenheim", salgono sul ponte dell'Accademia, scendono per Sant'Agnese, si infilano nella calle dove abita lei, arrivano all'uscio senza più parlare.

"Grazie," dice lei soltanto.

"A te."

"Buonanotte."

Sofia si gira verso la porta, comincia ad armeggiare con le chiavi, e lui sente il suo profumo, ma non fa niente, e all'improvviso capisce perché: quella ragazza gli sembra troppo importante, una cosa che non si può sbagliare, non può perderla, non può stare senza di lei.

"Ci vediamo domani?"

"Ok."

La notte in cui Vittorio e Sofia si sono incontrati a San Marco io stavo finalmente dormendo bene, dopo giorni di insonnia in compagnia di Raiplay (adoro Fiorello).

Poi hanno suonato. Un primo suono leggero, ho pensato a un errore, allo scherzo di un ragazzino, di qualche ubriaco, ma poi lo scampanellio è proseguito, insistente, qualcuno voleva svegliare proprio me. Ho avuto paura. Ho infilato la vestaglia, ho guardato fuori dalla finestra, ho pensato che fosse tornata l'acqua, l'alluvione, o che ci fosse stata una rissa, capita qualche volta, sempre più spesso, per un paio di mesi ha imperversato una baby gang che assaliva i passanti in mezzo alle calli, maledetti, ma fuori dai vetri c'era solo la notte, la notte placida di Venezia, era tutto tranquillo, Venezia dormiva, Venezia era tutta bella.

Ho girato la testa e ho visto, davanti al portone, un signore magro, un'enorme valigia a fianco, e anche una signora assonnata, più corpulenta e biondissima, come una principessa delle favole.

Ho aperto la finestra. "Che volete?"

"Buonasera," ha detto l'uomo, in un italiano dal forte accento tedesco. "Delizie Veneziane?"

"Cosa sta dicendo?"

"Cerchiamo Delizie Veneziane."

"Mi spiace, ma non ho più l'età."

"Forse è un errore. È il nome del bed&breakfast."

"Qui non c'è nessun bed&breakfast. Avete suonato a una signora che stava dormendo. E che sarei io. Vi prego di andarvene."

"Ma abbiamo prenotato una camera."

"Non credo a casa mia. Forse per un milione di euro potrei anche farvi salire. Ma senza delizie."

"No, al bed&breakfast."

"E allora cercate quello."

"Non risponde nessuno, purtroppo, altrimenti non l'avremmo disturbata!"

"E cosa c'entro io?"

"È il campanello sotto il suo. Abbiamo provato ma non rispondono."

"Ma di quale campanello parlate?"

"Quello sotto il suo."

"Quello del signor Zulian?"

"No. Nessuno Zulian. È Delizie Veneziane."

"Sta scherzando?"

"No, signora."

"Guardi che ho male alle ginocchia, non posso venire a vedere. Ma lei è sicuro di quello che dice?" Mi ha preso una gran tristezza. Ogni volta che apre un bed&breakfast, che chiude un negozio, mi viene una tristezza come se fossimo in guerra, come se ci fosse un morto in più. "Mi sembra impossibile che il signor Zulian abbia lasciato casa. O meglio, ormai non mi stupisco più di niente. So che suo figlio non lavora, forse si è dato ai check in."

"Sto guardando la prenotazione. C'è scritto sopra *signor Daniele Zulian*."

"È proprio lui allora. Il figlio."

"Purtroppo il nostro volo era in ritardo. Dovevamo arrivare nel pomeriggio, invece siamo atterrati un'ora fa. Abbiamo fatto più in fretta che potevamo. Abbiamo un numero di telefono del signor Zulian, ma non risponde. Lei non può aiutarci?"

"Vi manderei a quel paese, ma intanto vi apro."

Vittorio, mi spiace non averti risposto, ma sono in vacanza e non guardo spesso il cellulare. Purtroppo devo dirti di no. Il canone non è negoziabile. Sono sicuro che puoi farcela, ma per cortesia fammi sapere presto se non ce la fai, così entro l'anno ti mando la lettera di disdetta, sai che funziona così.

Vittorio lo sapeva, ne era sicuro che sarebbe finita così. Vorrebbe rispondergli qualcosa, ma non vuole essere patetico, e nemmeno aggressivo. No, non può mendicare; ha il suo orgoglio. Solo che, con quell'importo, semplicemente non ce la fa.

È la fine della Moby Dick.

Dottor Gherardi, mi spiace, non ce la faccio, mi mandi pure la lettera di disdetta.

Vittorio prende il libro di Hikmet: l'aveva tenuto sotto la cassa. Strappa via la carta in cui l'aveva avvolto, lo rimette al suo posto tra gli scaffali. No, alla fine non aveva scritto nessuna dedica, non se l'era sentita di fare neanche quello.

Nel pacchetto ha l'ultima sigaretta. Si siede per terra, la accende, comincia a fumare. Chiude gli occhi e cerca di immaginare cosa succederà.

No, Vittorio non si perde d'animo, Non è il tipo.

Vede campo San Giacomo.

Lo vede pieno di gente.

Una festa.

Sarà una grande festa, la fine della Moby Dick. Ci saranno Chung e il venditore di pianoforti, l'oste e il cartolaio, la ragazza degli zaini, la pizzaiola, Carlo e Camilla, e gli olandesi, il ferramenta e l'edicolante del Bangladesh, quello dell'enoteca, le due ragazze che si baciano di nascosto, quella che somiglia a Greta Thunberg, e il professore di matematica, e la musica di Chopin, e i ragazzi di Venice Calls, ci sarà tutta Venezia, i tavoli nei campi, la soppressa e il pane, e il vino Raboso.

Ci sarà Sofia.

Ne è sicuro.

E lui ricomincerà, anche di questo è certo.

Forse da qualche altra parte.

Forse lontano da Venezia.

Andranno insieme a New York.

L'acqua non viene più.

Ma non è questa la notizia migliore, quella che aspettavo con trepidazione, il motivo del mio buonumore. È che mi ha telefonato Chung, mi ha detto che è di nuovo tutto a posto. "Grazie a Dio!" ho gridato. Non sono riuscita a trattenere la gioia: questo è il segno che aspettavo, il peggio è passato. Quanto mi è mancato, in questi giorni, il mio piccolo vizio quotidiano. Quanto ho odiato l'acqua alta per questo. Ho cominciato all'inizio dell'estate, sono passati quasi sei mesi e non riesco più a smettere.

"Ma sei sicuro di riuscire a farlo come lo facevi prima dell'acqua?"

Mi viene la voglia alle quattro di pomeriggio.

Ogni giorno faccio una colazione abbondante, all'inglese, uova e pancetta, poi un pranzo leggero, giusto delle verdure al vapore o alla piastra. Potrei concedermi qualcosa di più corposo, farmi un po' di pasta, magari una bistecca, ma la verità è che preferisco sentire a metà pomeriggio quel languorino che solo un bel toast può placare.

Arriva su fumante, paradisiaco, appena apri la stagnola senti il profumo. Il cheddar (o qualsiasi cosa ci sia, io voglio pensare sia ancora cheddar) è croccante sui bordi, con quelle crosticine di bruciato che adoro, che tolgo con le dita e lascio per ultime. All'interno, ha una pasta che fila moltissimo. Anche il prosciutto è saporito, e il pane è ottimo, ben tostato, un filo dolce; quando si incontra con il salato del cheddar diventa sublime. È difficile trovare toast così buoni. A ottantasei anni, ho trovato il toast della mia vita. Non è mai troppo tardi, prima o poi arriverà anche l'uomo giusto.

Chiamo Chung ogni giorno: "Fammelo portare da Sofia, quando finisce il turno".

"Va bene, signora."

"Sappi che continua a darmi fastidio che un cinese sappia fare un toast così buono."

Sofia stacca alle cinque, sale da me. La prima volta che l'ho vista mi sono davvero meravigliata. "Ma sei italiana? E come mai lavori dai cinesi?"

"Lo fanno in tanti."

"Ti ricattano?"

"Tengono i miei genitori in ostaggio."

Mi ha subito incuriosito. È svelta di testa e di lingua e un poco mi ricorda com'ero io alla sua età. E così subito le ho fatto una specie di interrogatorio. "Ma cosa fai, chi sei, com'è la tua famiglia? Parlami della tua vita."

Sofia mi ha preso per pazza ma nel giro di pochi giorni si è affezionata a me. Quando mi porta il toast io le offro un Darjeeling con i biscotti danesi, magari anche un Lindor di quelli blu o neri, fondenti (quelli rossi non mi piacciono, non li compro). Qualche volta ha fretta, ma più spesso si ferma anche una mezz'ora.

"Dovrebbe scendere più spesso," mi sprona.

"Per fare cosa?"

"Per andare in giro."

"Non c'è poi così tanto da vedere. Non mi affaccio nemmeno alla finestra, a dire il vero. La gente mi annoia. Mi annoia sentirla parlare, non mi interessano i fatti degli altri."

Parliamo del mondo, che a lei piacerebbe girare e che io ho girato poco. Mi racconta della sua università. Parliamo di Venezia, di cui siamo tutte e due innamorate, anche se lei a New York ha lasciato un pezzo grande del cuore. Ma ultimamente va a finire che mi parla sempre di Vittorio.

"Io non ci vado più, in libreria," le dico. "Ho troppi libri qui dentro ancora da leggere." Non le dico la verità, che non vado alla Moby Dick per via di quei quattro gradini troppo alti, non voglio che nessuno veda che fatico a farli, non voglio che nessuno mi commiseri.

Secondo Sofia, Vittorio è "un libraio così bravo", "consiglia bene i romanzi", "ha un ottimo assortimento", la Moby Dick è "bellissima". Lo menziona nelle conversazioni anche quando non c'entra niente, quando si parla del tempo, dei banchi del mercato di Rialto, dell'Inter. "Vittorio," ripete sempre, come se a pronunciare quel nome potesse possederlo, sentisse un poco di gioia.

"È anche bello, ma non sa di esserlo," dico io per farle confessare la sua passione. "Peccato per quelle camicie."

"Bello magari no. Carino."

"Un bel fisico da pugile. Anche a letto sicuramente si difenderà."

"Ma cosa dice?"

"Quello che penso. È fondamentale, per gli uomini."

Lei ride, abbozza. Non è timida, in fondo. È che non le sembra appropriato rivelare esplicitamente i suoi desideri.

Un giorno è venuta da me preoccupata.

"Che hai?"

"Ma lo sa che il proprietario gli ha aumentato l'affitto?"

"A chi?"

"A Vittorio."

"Già, dovevo immaginarlo che si trattava di lui."

"Adesso gli chiede il doppio."

Tramite Sofia, sono informatissima sulla Moby Dick. Lei mi racconta tutto quello che le dice Vittorio, "ma la prego, non lo dica a nessuno". So dei libri che ha perso, di quelli che si sono salvati, di quel Saramago finito per caso nello scaffale sbagliato. So che molti lo stanno aiutando; so che il parroco ha ordinato delle Bibbie e so dei risparmi del professore di matematica.

Vittorio. Ormai non parla d'altro. A un certo punto mi stufo e le chiedo: "Ma a te piace Vittorio?".

"Che domande sono?"

"Rispondimi."

"Non lo so."

"Lo sai benissimo."

"Sì."

"Gliel'hai detto?"

"Io non gli piaccio."

"E da cosa lo deduci?"

Sofia si fa scura in volto: "Qualche sera fa ero uscita da sola, avevo bisogno di una passeggiata. Non l'ho trovato a San Bortolo? Ci siamo messi a camminare e siamo andati avanti per ore. Quando l'acqua è salita mi ha preso in groppa, e poi addirittura per mano. Siamo rimasti mezz'ora immobili, in silenzio, sopra i leoncini a San Marco. Non ha neanche provato a baciarmi".

"Non sottovalutare la goffaggine degli uomini. Di solito è segno di interesse autentico."

"O forse è gay."

"Non credo. L'ho sempre visto con donne in passato."

"Tante?"

"Sei gelosa?"

"No!"

"Posso rassicurarti. L'ho sempre spiato... Cioè, intendo dire, lo conosco da vent'anni. È uno per bene. E secondo me

anche tu gli piaci. Non so perché, me lo sento. Forse è un po'
grande per te, ma succedeva anche ai miei tempi, non è mai
morto nessuno. È inutile preoccuparsi troppo del futuro, intanto goditela. E poi, come ti ho detto, sono convinta che a
letto ci sappia fare. Perlomeno è costretto a togliersi quelle
camicie."

Mi aggrappo al corrimano, appoggio il piede sinistro, poi il destro, sento un po' dolore al ginocchio, debolezza nel muscolo, come se non mi reggesse più. Stringo i denti. Scendere le scale è sempre più faticoso, ma non voglio badanti né bastoni. E non ci penso nemmeno, a trasferirmi in terraferma.

Non esco da più di due settimane.

D'inverno vado fuori sempre di rado, il freddo mi infastidisce, non ci si può fermare un attimo che ci si prende un malanno. Ma è proprio nell'acqua che non riesco più a camminare. Sono le ginocchia che fanno troppa fatica.

Maledetta acqua.

Le previsioni sono buone, ancora. Il picco è passato, l'acqua tornerà, è sicuro; a Natale, tra qualche mese, l'anno prossimo. Cercheremo di essere preparati. Magari funzionerà pure il Mose.

Ma adesso non importa.

Venezia è tornata splendida.

Venezia è sempre splendida, con tutti i suoi problemi, gli acciacchi, con tutta la gente che non la capisce. In questi giorni dolorosi, peraltro, lo è stata ancora di più, in un modo diverso. Sarà che ormai sono vecchia, incline alla commozione (in particolare con *Sos Tata*), ma sono orgogliosa dei veneziani, di quelli di campo San Giacomo, di come hanno reagito.

Hanno lavorato sodo, hanno riaperto tutti, nessuno si lamenta. Stamattina ho letto sul "Gazzettino" che anche la prima della Fenice si terrà regolarmente, il *Don Carlos*; forse andrò a vedere una recita, anche se l'opera è piuttosto ingarbugliata.

Vedo una comitiva che va verso i Frari; sono una cinquantina di turisti. Non so se essere felice o preoccupata. Tutt'e due, direi.

Vado al bar di Chung.

D'estate mi siedo spesso a uno dei tavolini all'aperto, magari ci riesco anche oggi, con questo tepore da buco nell'ozono. Voglio bere una spremuta, Sofia mi ha detto che hanno cambiato il fornitore delle arance.

"Buongiorno, Sofia."

"Buongiorno, signora. L'ho convinta a scendere?"

"Ho alcune commissioni da fare. Mi siedo fuori."

L'occasione è ghiotta. Si sono appena sedute le due della Sovrintendenza. Sono le mie preferite; sfiduciate, sboccate, conoscono un sacco di segreti degli uomini che vedo qui in giro. Mi appassiona ascoltarle. Ma oggi stanno in silenzio, questo sole delizioso ti fa solo venire voglia di chiudere gli occhi e godertelo.

È quella più bassa, con le mèche, a parlare: "Sai che ti dico? C'è qualcosa nell'aria, in questi giorni, che prima dell'acqua alta non c'era. Pare che tutti abbiamo sentito il bisogno di fermarci, che all'improvviso ci siamo ricordati delle cose che contano".

"Speriamo che duri."

Vorrei intervenire, dire che sono d'accordo, ma capirebbero che sto origliando. Bevo il primo sorso. Sì, effettivamente la spremuta è migliore, ma non è comunque granché. Mi guardo intorno. La vita è ricominciata; lenta, prudente. Carlo e Camilla camminano vicini, sembra che non si stiano insultando. Il piccolo Lautaro è davvero un campione in erba, peccato che in campo San Giacomo non passino gli osservatori delle grandi squadre.

Quasi mi sto assopendo!

Devo invece ricordarmi che ho una missione da compiere. A dirla tutta, devo anche comprarmi uno zaino nuovo, il mio si è rovinato, ma una cosa per volta. Per il momento vado verso la libreria. Sbircio dentro la vetrina, noto che Vittorio è impegnato con un cliente con un orecchino al naso (un vero orrore), mi allontano un po', osservo la vetrina dei vetri falsi, autentiche schifezze. La regina Elisabetta mi saluta con la mano. Il punk esce e io ritorno alla Moby Dick. "Vittorio! Puoi venire qui fuori?"

Mi ha riconosciuto dalla voce, è contento di vedermi. "Signora Rosalba! È un sacco che non veniva a trovarmi!"

"Non esco mai. Sto tutto il giorno in casa. Ma non spio nessuno."

"Diciamo che tutti siamo rimasti a casa un bel po'."

"Speriamo che sia davvero finita."

"Ha bisogno di un libro? Venga dentro."

"Non ho nessuna intenzione di entrare. Ma era qualche giorno che volevo dirti che sei stato davvero uno sciocco la sera del 12."

"Mi ha visto che cadevo in acqua?" dice lui finalmente sorridendo.

"Mi sono sgolata a chiamarti. Potevi suonare alle case davanti, potevi salire da me. Perché diavolo hai cercato di tornare in corte dell'Anatomia?"

"Forse ha ragione. Ma non sarebbe cambiato molto. Non è un gran periodo, ci sono stati troppi problemi. Comunque ormai è passata. Anzi, colgo l'occasione per invitarla alla mia festa: non può mancare."

"Quale festa?"

"Chiudo la libreria."

"Ma sei impazzito? No che non la chiudi. La Moby Dick

non può chiudere. Il campo non può perdere la libreria. Che campo sarebbe senza libreria?"

Vittorio allarga le braccia. "Non ce la faccio con i costi. L'acqua alta è stata terribile. E mi hanno aumentato l'affitto."

"Eh, quasi il doppio."

"Chi gliel'ha detto?"

"Non importa. Mi domando come facciano a continuare a chiedere certi canoni di locazione, con tutto quello che è successo."

"Non lo so."

"Adesso seguimi. Sono dei banditi, ma ne parleremo un'altra volta, sono un po' di premura."

"Dove?"

"Chiudi il negozio. Io vado avanti, che tu sei più veloce di me e mi raggiungi in fretta."

Mi incammino verso l'altra parte del campo.

Bisognerà cancellare quella scritta che adoro, ALL'ARREMBAGGIO, anche se sembra fatta apposta per la nuova Moby Dick.

Tiro fuori le chiavi dalla tasca.

Dovrei averne un altro mazzo, in casa, ma non mi ricordo dove l'ho messo. Pazienza: salteranno fuori o andremo insieme dal ferramenta per fare la copia. Entro, accendo la luce. L'acqua non è entrata qui, avevo ben controllato dalle finestre. È sempre tutto in ordine come l'ho lasciato. È tutto vuoto, c'è solo il mio bancone da merciaia: ciliegio, come nuovo.

Vittorio mi ha raggiunto, si guarda intorno.

"Me lo ricordo completamente diverso il negozio, che impressione," dice.

"Benvenuto nella tua nuova libreria. Non occorre fare grandi lavori. Io mi occuperò di far ritinteggiare, conosco un macedone bravissimo, non costa molto. Gli impianti sono a norma, ha la vasca per la marea, e comunque la soglia è più alta della tua, anche senza tutti quei gradini. Con la paratia si arriva a due metri e rotti, sono più che sufficienti... salvo che non finisca il mondo, nel qual caso la questione dei libri diventerebbe secondaria. E in ogni caso immagino che adesso saprai organizzarti, no? Farai degli scaffali più alti, dei sistemi più sicuri. Hai anche una vetrina in più. Il canone non sarà un problema: so cosa ti chiede Gherardi, qui sarà molto meno. La cassa potresti lasciarla lì, dove ce l'avevo io. Non so poi cosa ti serva per la fatturazione elettronica, o se devi mettere la wireless, insomma mi dirai, comunque c'è la linea telefonica, non è mai stata staccata. Il bancone non so se lasciartelo, ci sono affezionata, non vorrei che si rovinasse, anche se al momento non saprei dove metterlo. Ti dirò." Avanzo di qualche passo, certo che la mia merceria era proprio bella... quasi quasi ho un po' di nostalgia, con tutta la gente malvestita che si vede in giro. "Ipotizzo che aprirai tra qualche mese, quindi avremo il tempo per discutere tutto. Secondo me però potresti dare più spazio alle novità, fare uno scaffale apposta. E poi gli autori che inviti alle presentazioni... sono troppo noiosi. Dovresti guardare dei video su YouTube prima di fare il programma. E limitare le domande dal pubblico. E guarda che se Gherardi affitta a un altro bar che fa rumore fino a tardi gli scateno contro il mio avvocato e si pentirà amaramente di averti costretto ad andare via."

Vittorio si guarda intorno. Li vede già i suoi scaffali, quelli vecchi, quelli nuovi. Proust, Pamuk, Borges, Berto, Dumas, Modiano, Montale, Achmatova, Mann, Pascal, Wells, Montaigne, Auden, Handke, Hastings, Freud, tutti gli altri, sono pronti per migrare da una parte all'altra del campo.

"Non so come ringraziarla."

"Non devi ringraziarmi. Mi pagherai il giusto. Ho solo una domanda, Vittorio. Una domanda sola, ma è importante."

"Mi dica, signora Rosalba."

"Ti piacciono ancora le ragazze?"

"Sì, signora. Perché?"

"Mi era venuto il dubbio che avessi cambiato gusti. È da tempo che ti vedo sempre da solo."

"Non ho trovato quella giusta."

"E Sofia?"

"Cosa ne sa lei di Sofia?"

"Io so molte cose, anche se mi faccio gli affari miei. Senti, se ti piace baciala. Dai retta a me, quella non aspetta altro."

Nota dell'autore

Il 12 novembre 2019, ormai un anno fa, l'acqua alta ha raggiunto a Venezia la misura di 187 centimetri sul livello del medio mare, allagando gran parte della città; in alcune zone, ce n'era più di un metro da affrontare.

Anche se qui l'acqua è sempre stata un'abitudine, quell'evento è stato tragico e inaspettato. Non solo per la misura della marea (la seconda nella storia), ma anche perché è stata un'acqua diversa da tutte le altre, velocissima, cattiva, cresciuta in modo imprevedibile, e ha provocato danni ingenti ai veneziani.

Tra tutto quello di prezioso, di insostituibile che l'acqua ha travolto, i libri occupano un posto particolare, simbolico, per l'effetto che l'acqua produce sulla carta, per ciò che i libri rappresentano: identità, memoria. Le librerie si sono trovate in enorme difficoltà, così come le biblioteche pubbliche e i privati che tenevano i libri al pianterreno.

I veneziani hanno dovuto letteralmente strappare i libri all'acqua; dalle asciugature con il phon ai più complessi procedimenti di congelamento, liofilizzazione e stiratura, ognuno ha fatto quanto ha potuto per salvare i propri volumi.

Ma non c'è stata soltanto la tragedia: in quei giorni Venezia ha reagito, e nello sfacelo è nata improvvisa anche una specie di allegria, fatta della capacità di aiutarsi, ritrovarsi, della voglia di lottare.

Mi è venuto così da scrivere la storia di un libraio, e mi sono immaginato la sua libreria in quel campo San Giacomo dove, all'angolo dove sta la Moby Dick di Vittorio, si trova invece una deliziosa cartoleria. Delle tante librerie che rendono unica Venezia, non potevo raccontarne una sola ma, piuttosto, una che, in un certo senso, le raccontasse tutte.

Questo progetto, così, nasce proprio insieme ai veri librai veneziani, che mi hanno regalato consigli, aneddoti e racconti, e partecipano con una presentazione di ciascuna libreria, che troverete nelle prossime pagine. Le librerie veneziane sono anche segnate su una mappa con la quale si può andare a cercarle: ognuna è diversa, ognuna è da scoprire.

Nella mappa, sono segnate le librerie indipendenti. È giusto però qui ricordare anche una splendida Einaudi vicino ai Frari e due Giunti vivacissime, una alla stazione di Santa Lucia e una Sant'Aponal, vicino a Rialto. E i veneziani sono anche affezionati alla Feltrinelli di Mestre.

È un piccolo segno, certo, ma in fondo a distanza di un anno Venezia, l'acqua alta e la reazione dei suoi abitanti sono anche il simbolo delle tante emergenze di questo Paese, delle tante impreviste tragedie che continuano a colpirlo ma che, alla fine, non riescono mai ad averla vinta.

Una mappa e una guida alle librerie veneziane

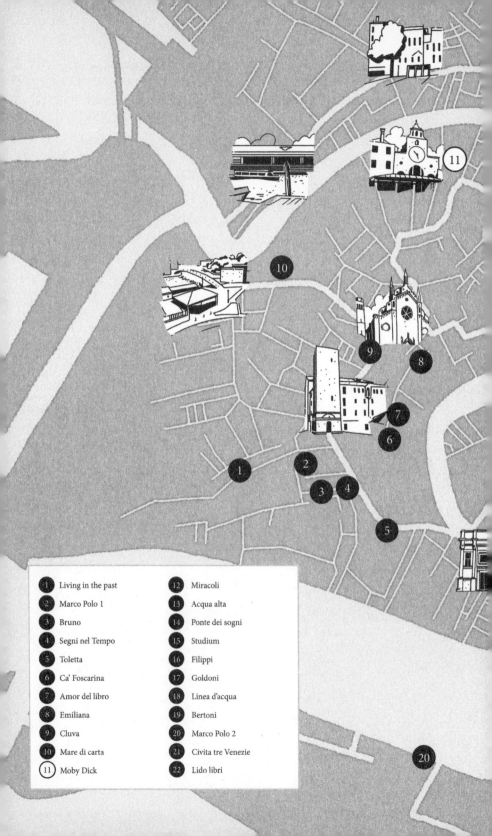

1 Living in the past
2 Marco Polo 1
3 Bruno
4 Segni nel Tempo
5 Toletta
6 Ca' Foscarina
7 Amor del libro
8 Emiliana
9 Cluva
10 Mare di carta
11 Moby Dick

12 Miracoli
13 Acqua alta
14 Ponte dei sogni
15 Studium
16 Filippi
17 Goldoni
18 Linea d'acqua
19 Bertoni
20 Marco Polo 2
21 Civita tre Venezie
22 Lido libri

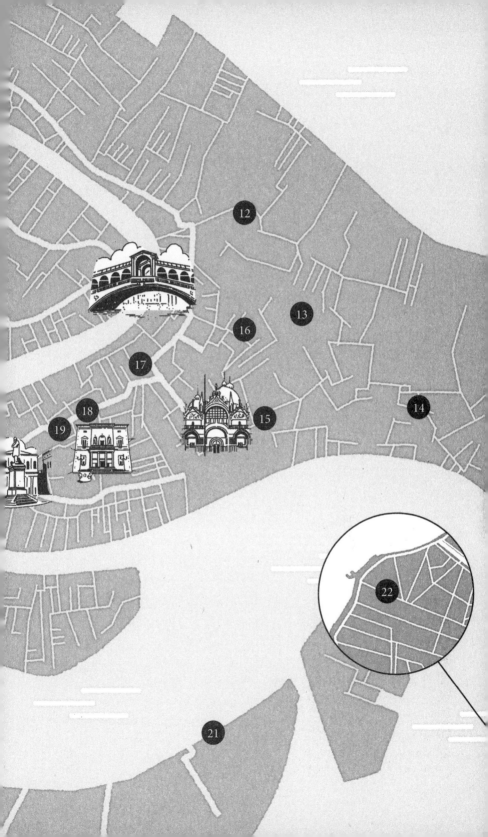

Libreria Acqua Alta
calle lunga Santa Maria Formosa, 5176b

Contatti: tel. 0412960841
Web: www.facebook.com/libreriaacquaalta/
Tipologia: vasto assortimento di libri usati e nuovi con ampia selezione su arte, Venezia e Veneto.

Dopo aver gestito due piccole librerie a Venezia, decido di cercare uno spazio più grande: nel 2002 nasce la Libreria Acqua Alta. L'idea, come per le due precedenti esperienze, è di mettere a disposizione della clientela una buona scelta di libri usati e possibilmente fuori edizione, oltre ovviamente a un'ampia sezione su Venezia e il Veneto. Con qualche accorgimento particolare nell'allestimento – come la gondola usata come scaffalatura/libreria e la scala di libri – prende vita una libreria originale che, grazie agli ampi spazi a disposizione, ospita anche qualche gatto.

Amor del Libro
Dorsoduro 3253

Contatti: tel. 0412411656
Web: www.amordellibro.org/amor-del-libro/
Tipologia: libri su tradizioni e realtà locali

Amor del Libro è un'associazione culturale che nasce a Venezia, città del libro e città di Aldo Manuzio, con lo scopo di promuovere e divulgare l'amore per i libri e le antiche tecniche di stampa.

Tutto ha inizio nei lontani anni sessanta con *Venezia Viva*, la prima associazione a riunire artigiani, artisti e critici per la valorizzazione e il recupero delle tradizioni e delle realtà locali, coinvolgendo nel contempo in modo attivo la popolazione.

All'epoca il nodo focale dell'associazione era l'esigenza di editare, di trasformare, i pensieri in pagine: storie tangibili, capaci di restare nel tempo. Comincia così a prendere forma l'attività editoriale, con la fondazione del Centro Internazionale della Grafica, che non a caso sceglie come logo l'àncora e il delfino – emblema storico di Aldo Manuzio.

Negli anni i titoli che arricchiscono il catalogo della casa editrice sono numerosi, molteplici le collane, tra le principali: Ad orientem, Bucintoro, Curiosità veneziane, Poesie, Storia di Venezia. Ci si dedica inoltre alla produzione di libri d'artista in edizioni numerate e firmate. Le edizioni del Centro sono realizzate con cura artigianale, ogni volume è un oggetto prezioso.

Amor del Libro è dunque la vetrina che accoglie e raccoglie l'eredità di queste iniziative: uno spazio per rendere visibile e accessibile il libro a tutti coloro che lo amano.

Incontri e presentazioni di vecchie e nuove edizioni sono tra gli appuntamenti che trasformano oggi questo progetto in una realtà concreta, aperta a chi abbia voglia di scoprire un mondo fatto di pagine, arte, passione.

Libreria Bertoni Venezia
San Marco 3637/b

Contatti: tel. 0415229583; info@bertonilibri.com
Web: www.bertonilibri.com
www.facebook.com/libreria.bertonialberto
Tipologia: libri antichi, libri d'arte, libri di architettura, libri di fotografia, libri di storia, libri su Venezia, libri rari, libri di saggistica, libri scontati, libri usati, libri vecchi

La Libreria Bertoni porta avanti una tradizione familiare antica di tre generazioni. Situata nel cuore di Venezia, si trova nel sestiere di San Marco, tra campo Sant'Angelo e campo Manin, in una strada laterale di calle della Mandola, esattamente in rio Tera' dei Assassini. Fondata nel 1935, è specializzata nell'offerta di libri esauriti e fuori catalogo ma propone anche una vastissima scelta, sempre rinnovata, di libri d'arte, architettura, fotografia, illustrati, di storia e argomento veneziano; inoltre, per la sua politica sui prezzi, tutti i volumi nuovi presenti in libreria si possono acquistare a metà prezzo. La Libreria Bertoni si occupa inoltre di compravendita di libri vecchi e rari.

bruno
Dorsoduro 2729, calle lunga S. Barnaba

Contatti: tel. 041 5230379; books@b-r-u-n-o.it
Web: www.b-r-u-n-o.it
Facebook @brunobooks
Instagram @ursusbruno
Telegram @ursusbruno

Dal 2013 bruno è uno studio grafico, una casa editrice e una libreria. La libreria ospita una selezione di libri d'artista, magazine, saggistica ed edizioni indipendenti che spaziano tra arte, architettura, design, fotografia, arti performative e tematiche legate al mondo contemporaneo. bruno lavora con editori internazionali, artisti, piccole e medie realtà affini, instaurando un rapporto di fiducia e collaborazione. Sembra quasi un'impresa eroica aprire una libreria nel bel mezzo di una laguna, ma è evidente, fin dai tempi di Manuzio, ciò che i libri e la stampa tipografica rappresentano per Venezia e quanto il libro sia strettamente legato a essa. Oltre che al libro, Venezia è strettamente legata al mondo dell'arte – si pensi alla Biennale e alle moltissime iniziative artistico-culturali che vengono organizzate tutto l'anno in città, tra cui anche quelle di bruno. Periodicamente lo spazio ospita presentazioni, mostre, book launch ed eventi attorno al libro, aprendo anche le porte del proprio studio.
bruno si configura quindi come uno spazio ibrido, in continua evoluzione e in costante dialogo con la città. Non solo Venezia, però; bruno si è trasferito temporaneamente più di una volta, portando la sua selezione di libri in giro per l'Italia e occupando diversi luoghi tra cui garage, roulotte, fiere e spazi espositivi.
Le persone che visitano quotidianamente bruno sono tra le più disparate, dagli studenti universitari a chi cerca il regalo perfetto per l'amica appassionata di fotografia o di graphic design, a quelli che "non ero mai stato qui ma ho sentito molto parlare di voi", ai turisti che "I didn't expect to find such a bookstore here in Venice", a chi incuriosito entra e chiede informazioni sullo spazio, agli aficionados che periodicamente vengono a dare un'occhiata alle novità, fino a chi, non interessato ai libri, chiede il prezzo degli orsi che abbiamo in vetrina (spoiler: non sono in vendita).

Libreria Editrice Cafoscarina
Cafoscarina 1, Cannaregio 736 (Università Ca' Foscari, Campus Economico)
tel. 0413099744; cafoscarina1@cafoscarina.it

Cafoscarina 2, Dorsoduro 3259 30123 Venezia
tel. 0412404802; cafoscarina2@cafoscarina.it

Cafoscarina 3, Dorsoduro 3224 30123 Venezia
tel. 0412404803; cafoscarina3@cafoscarina.it

www.cafoscarina.it
facebook Libreria Cafoscarina

Tutto comincia nel Sessantotto (anzi nel 1963, ma lo spirito era quello). Un gruppo di studenti e giovani docenti decide di provare a vendere libri (e dispense, come si usava a quel tempo) cercando di sostenere il diritto allo studio. La sede era un piccolissimo locale nell'Università Ca' Foscari. Oltre ai libri di testo era naturale proporre i libri più interessanti, non solo italiani, nel dibattito culturale. Molti anni dopo, Tiziano Scarpa ha ricordato un bellissimo manuale di retorica, in francese, trovato in quello spazio minuscolo. È divertente ricordare anche una lettera di Faber & Faber arrivata nei primi anni ottanta, indirizzata alla Libreria Cafoscarina, Venezia, Austria. Ci siamo chiesti quando gli inglesi avrebbero aggiornato gli archivi (ma era un errore, ovviamente). Comunque la lettera era arrivata lo stesso.

Il tempo passa, la libreria si trasforma, le persone cambiano. Nel 1992 abbiamo aperto una seconda libreria, di fronte all'università, e poi un'altra nello stesso campiello. Per ultima, la Cafoscarina nel Campus Economico di San Giobbe. Gli spazi sono sempre minuscoli ma continuiamo a offrire testi per gli studenti universitari e libri per lettori curiosi che non si accontentano di quelli nelle classifiche dei primi dieci. Alle lingue europee si sono aggiunte quelle orientali: prima arabo, poi cinese, giapponese e coreano. Con la nostra piccola casa editrice abbiamo pubblicato corsi di cinese, un magnifico dizionario e molto altro. Continuiamo a mettere in vetrina libri difficili e interessanti e a discutere con i nostri clienti, che sono studenti, insegnanti, filosofi, scrittori, artisti, lettori. E gli siamo riconoscenti (specialmente ai ragazzi di Venice Calls) per l'aiuto e la solidarietà nei giorni di cui parla questo libro.

Bookshop Casa dei Tre Oci
Giudecca 43

Contatti: tel. 041 2412332
Web: www.treoci.org
Facebook e Instagram: Casa dei Tre Oci
Tipologia: specializzato in editoria fotografica e storico-artistica

A sud di Venezia c'è – tra le altre – un'isola, l'isola della "Giudecca".
Su quest'isola c'è una casa, la Casa dei Tre Oci, chiamata così per le
tre grandi finestre che si affacciano su piazza San Marco (*ocio* in veneziano significa "occhio"). Una casa con gli occhi è un soggetto che
guarda, osserva e "interpreta" il mondo. E infatti, dal 2012, grazie alla
Fondazione di Venezia, i Tre Oci sono diventati la Casa della Fotografia: qui hanno trovato spazio grandi mostre internazionali, ma anche
eventi e dibattiti sulla cultura dell'immagine.
Prima ancora i Tre Oci erano una casa "vera", anche se piuttosto particolare. Nel 1913 l'artista Mario De Maria aveva progettato questo
palazzo – tra i più significativi esempi di architettura neogotica di Venezia – come casa-studio. Ben presto divenne un luogo di dialogo e
incontro per artisti e intellettuali, da Vittore Grubicy a Hundertwasser,
dalla figlia di Peggy Guggenheim a Sciltian, da Morandi e Fontana a
Dario Fo.
Tale vivacità si deve soprattutto al figlio di Mario De Maria, Astolfo,
anche lui pittore, e a sua moglie Adele, la quale sposò in seconde noz-
ze – dopo la morte di Astolfo – il regista e autore televisivo Giulio Mac-
chi. Fu quest'ultimo a coinvolgere, verso il 1960, il grande Mario Ceroli perché ideasse le scenografie del suo programma Rai *Orizzonti della
scienza e della tecnica*. Il bookshop della Casa dei Tre Oci è stato rea-
lizzato con quegli allestimenti scenografici, dalle poltrone alla scala,
alle sagome umane in legno grezzo tipiche del lavoro di Ceroli.
Probabilmente anche in questo risiede la magia della libreria museale,
dove ogni visitatore può immergersi nella storia dell'immagine e della
cultura figurativa dell'Italia del Novecento.
Qui gli appassionati del settore possono trovare le principali pubblica-
zioni dei più celebri fotografi, con una proposta editoriale aggiornata
costantemente in base al programma espositivo, oltre a riviste specializ-
zate, magazine, saggi, articoli di design e gadget che richiamano – grazie a un'originale declinazione del logo – il simbolo della Casa: i tre
occhi e l'obiettivo fotografico.

Libreria Cluva
Santa Croce n. 191

Contatti: tel. +390415226910
Web: www.libreriacluva.com
www.facebook.com/libreriacluvavenezia/
Tipologia: specializzata in architettura, urbanistica, design, moda, fotografia

Nata negli anni sessanta del Novecento all'interno dell'Istituto di Architettura di Venezia (oggi Università Iuav di Venezia), la nostra libreria – il cui ingresso è stato progettato da Carlo Scarpa – continua a distinguersi per la specializzazione nei settori dell'Architettura e dell'Urbanistica, a cui si è aggiunta la scommessa vincente dei settori di grafica, design, moda e fotografia.

Da sempre punto di riferimento per studenti, docenti e professionisti del settore, abbiamo un assortimento molto ricco – dai manuali di progettazione, restauro architettonico e monografie alle riviste sia italiane che straniere (oltre cento testate) – e attira una clientela qualificata che ormai supera decisamente i confini universitari.

La convinzione che la volontà di non essere mai banali o superficiali e la costante ricerca di titoli di alta qualità potevano essere il nostro marchio distintivo rispetto alle librerie di catena ci ha permesso, in questi anni molto difficili per le piccole librerie indipendenti, di essere un punto d'incontro e di richiamo per chiunque sia interessato alle materie da noi trattate.

Da gennaio 2011 la Libreria Cluva è tornata a essere anche casa editrice: pubblichiamo testi che possano rimanere nel tempo e che anche a distanza di anni suscitino interesse e curiosità sia nel tecnico sia nel lettore appassionato.

I nostri clienti frequentano assiduamente la libreria e chiedono spesso consigli e informazioni; sentire che si fidano di noi è motivo di grande gratificazione, soprattutto siamo orgogliosi di vedere tanti giovani che girano tra tavoli e scaffali.

Libreria Emiliana
San Polo 2941, calle larga Prima

Contatti: tel. 0415220793; 3404115667; 3472979159
libreriaemiliana@libreriaemiliana.com
Web: www.libreriaemiliana.com
www.facebook.com/libreria.emiliana
Tipologia: libreria antiquaria

La Tipografia Emiliana venne fondata nel 1837 dal cavalier Giuseppe Battagia, Console Pontificio a Venezia. Il cavalier Battagia, avendo situato la tipografia nella sua casa a San Giacomo dell'Orio, decise di dedicare l'attività a san Girolamo Emiliani, che lì era vissuto. Questi, patrizio e santo veneziano, è considerato patrono degli orfani e della gioventù abbandonata, e il cavalier Battagia si richiamò a questa vocazione per introdurre i giovani privi di famiglia all'arte tipografica, assumendoli nella sua impresa. La fondazione della tipografia era stata suggerita dal teologo Antonio Rosmini, con fini essenzialmente religiosi. Va segnalata, in questo periodo, la partecipazione economica della Tipografia Emiliana nella grandiosa opera di Ferdinando Ongania sulla Basilica di San Marco.

Nel febbraio 1921 don Sterpi concludeva l'acquisto della Libreria e Tipografia Emiliana. Veniva salvato così un ricco patrimonio di edizioni sacre e religiose, nonché il nome di una delle più antiche tipografie cattoliche italiane. L'Emiliana estese la propria propaganda religiosa a tutte le parrocchie d'Italia, con l'invio gratuito di pacchi di opuscoli a sostegno dell'opera di evangelizzazione dei missionari. Con lo scoppio della Seconda guerra mondiale per la tipografia cominciò una parabola discendente, e la Libreria venne acquistata da un nuovo gruppo editoriale.

Nel 1990 la Libreria Emiliana viene rilevata e completamente rinnovata dai coniugi Maria Cristina Giacometti e Giacomo Regazzo, i quali, dopo aver continuato per un breve periodo l'attività di vendita di volumi contemporanei, hanno traghettato la libreria nel mondo dell'antiquariato, raccogliendo stampe, volumi e manoscritti antichi, con un'attenzione particolare a quelli relativi alla storia e all'arte di Venezia. Dal 2015 è stata abbandonata la tradizionale sede di San Marco, in calle Goldoni, e la Libreria si è trasferita nell'area di San Rocco e dei Frari, proprio nella zona dove aveva abitato e cominciato la sua predicazione Girolamo Emiliani.

Erede Libreria Editrice Filippi
calle del Paradiso, Castello 5763

Contatti: tel. 0415235635; info@libreriaeditricefilippi.com
Web: www.libreriaeditricefilippi.com
www.facebook.com/libreriaeditricefilippi/
Tipologia: siamo specializzati su tutto ciò che concerne Venezia. Storia, architettura, costume, teatro, musica, libri antichi e fuori commercio, di fotografia e tanto altro

In attività dal 1909, con più di cento anni di storia siamo la casa editrice più longeva di Venezia. Siamo specializzati in libri con la città di Venezia quale comune denominatore, presentata in tutti gli aspetti: dalla storia all'architettura, dal costume al teatro; troverete enciclopedie sulla storia della nostra città, nonché saggi sull'amministrazione della Serenissima e raccolte di canzoni, giochi e tradizioni locali. Da noi potrete trovare anche pezzi unici o fuori produzione, e in diverse lingue straniere.
La nostra libreria è inoltre dotata di un vasto ed esclusivo archivio storico fotografico e siamo in grado di riprodurre libri antichi ormai fuori commercio.

Libreria Filippi
calle Casselleria, Castello 5284

Contatti: tel. 0415236916; filippi.editore@gmail.com
Web: www.facebook.com/pg/FrancoFilippiEditoreVenezia
libreriaeditricefilippi.myadj.it/v/libreriaeditricefilippi
Tipologia: storia veneta, architettura, teatro, musica, costume, filosofia, prime edizioni, riviste d'epoca, saggistica, libri antichi fuori commercio, libri di fotografia di Venezia

Questa libreria, una delle storiche di Venezia, è nata dalla passione
per la cultura di un'intera famiglia. Offre alla propria clientela una vasta gamma di libri di storia veneta e non solo: architettura, teatro, musica, costume, filosofia, prime edizioni, oltre a preziosissime riviste
d'epoca, saggistica, libri antichi fuori commercio, libri di fotografia
della città lagunare, e tanto altro. Ospita inoltre alcuni importanti archivi fotografici. La libreria perfetta per chi è alla ricerca dell'anima
storica, culturale e sociale di questo territorio unico al mondo.

Libreria Goldoni Venezia
calle dei Fabbri, San Marco 4642/43

Contatti: tel. 0415222384
Web: www.librogold.com
www.facebook.com/libreria.goldoni/
Tipologia: narrativa, saggistica, manualistica, bambini e ragazzi, libri
d'arte e monografie su Venezia, libri in lingua straniera

Situata nel cuore del cuore della città, nei pressi del ponte di Rialto e
a due passi da piazza San Marco, la storica Libreria Goldoni Venezia
offre da sempre a veneziani e turisti un vasto assortimento di titoli di
ogni genere: narrativa, saggistica, manualistica, una ricca selezione
di libri d'arte e monografie su Venezia, nonché libri in diverse lingue
straniere. Inoltre e non da ultimo, vengono dati particolari spazio e
importanza al settore bambini e ragazzi. Oltre ai libri, vi si trovano
giochi, gadget, articoli da regalo e anche un vasto reparto di cartoleria e cancelleria. La nostra esperienza ultradecennale garantisce un
servizio veloce e preciso di prenotazione anche dei testi scolastici
per le scuole medie e superiori.
La Libreria Goldoni Venezia, fondata nella seconda metà del Novecento, è gestita dalla seconda generazione di librai indipendenti e le
titolari sono due giovani e dinamiche imprenditrici. A oggi, è una delle botteghe storiche veneziane e punto di riferimento e fermento culturale della città.
Passeggiando tra le calli, tra un ponte e l'altro, la libreria Goldoni Venezia è tappa d'obbligo per gli appassionati lettori, ma anche per chi
cerca un regalo o un ricordo da portare con sé.
Il gatto Poldo, un micione rosso, è la mascotte della libreria e ama
dormire tra i libri, annusando anche lui il profumo della cultura e del
buon vivere.

Libreria Lidolibri
via Isola di Cerigo 3

Contatti: tel. 0415265808; lidolibri@gmail.com
Tipologia: libreria di varia

Mi chiamo Dario Missaglia e sono un libraio veneziano. Più precisamente, sono libraio in una stretta striscia di sabbia lunga dodici chilometri di fronte a Venezia. Quindi sono un libraio isolano. Nascere e vivere in una piccola isola è un'esperienza molto particolare, essere circondati dall'acqua diventa, da normalità, quasi una necessità.

Quando venticinque anni fa ho saputo che avrebbe chiuso la libreria preesistente, mi è sembrato naturale rilevarla: era la libreria della mia infanzia, e per me che sono nato in mezzo a montagne di carta stampata (mio padre era disegnatore e grande appassionato di libri), vederla chiudere era inaccettabile. È così che sono diventato un isolato-libraio-isolano. E la mia libreria si è popolata di volumi di ogni genere, in particolare di testi a tematica veneziana e, soprattutto, di narrativa per gli adulti e per l'infanzia.

Chi decide di aprire una libreria non lo fa per arricchirsi, sa benissimo che ci sono attività commerciali molto più redditizie. Ma a volte le soddisfazioni sono molto più preziose del denaro, come lavorare circondato da ciò che più ami, rapportarti con persone che come te dedicano parte del loro tempo alla lettura, vedere illuminarsi gli occhi dei lettori cui hai dato un buon consiglio... La cosa più bella è che si tratta di uno scambio alla pari: quanti autori e quanti libri ho scoperto grazie ai miei clienti! Quello tra un libraio e un lettore è un rapporto di complicità.

Esiste però il rovescio della medaglia.

Con l'avvento di Ammazon (l'ho scritto con due emme perché sta "ammazzando" i commercianti tradizionali), arrivare a fine mese per molti diventa sempre più difficile.

Dove un tempo era impossibile trovare un negozio libero da affittare, ora c'è una fila ininterrotta di serrande abbassate.

E poi è arrivata la notte del 12 novembre a dare il colpo di grazia a molti esercenti, con l'acqua a spazzar via il lavoro di una vita...

Ma proprio quella notte, guardando le pagine dei libri andare alla deriva trascinate dall'acqua, ho capito che un mondo senza librerie sarebbe un mondo invivibile.

Libreria Antiquaria Linea d'acqua
San Marco 3717/d

Contatti: tel. 0415224030; info@lineadacqua.it
Web: www.lineadacqua.it; www.lineadacqua.com
facebook.com/lineadacquaedizioni
instagram.com/lineadacqua
Tipologia: libri antichi, edizioni veneziane

La libreria antiquaria Linea d'acqua è la realizzazione del sogno di un ragazzo veneziano, Luca Zentilini, che durante gli anni del liceo immaginava di creare un'azienda culturale nel cuore di Venezia. Un luogo che fosse presidio e simbolo della venezianità ma anche laboratorio *vivo* del libro in tutte le sue declinazioni. La libreria (fondata nel 2002) diviene rapidamente un luogo di incontro per collezionisti sofisticati e cosmopoliti, ma anche un collettore di idee e spunti creativi che troveranno compiutezza nella casa editrice, Lineadacqua Edizioni, che nascerà pochi anni più tardi in collaborazione con Federico Acerboni.

La libreria Linea d'acqua è il tempio della bibliofilia. Vi si trovano moltissime edizioni veneziane, con una speciale predilezione per i grandi libri illustrati del Settecento. Ma anche libri di architettura, medicina, letteratura, i grandi classici dell'erotismo, anche nelle pregiatissime edizioni francesi del periodo Déco. In generale tutti volumi eccezionali, in particolare quelli perfettamente conservati nelle loro legature originali. La casa editrice rispecchia i valori della libreria nella quale è nata. Da diversi anni pubblica due importanti magazine, *"in*time Venice" e "Venice Review", la rivista letteraria della città di Venezia, partner del festival Incroci di Civiltà.

Dal 2019 Lineadacqua gestisce il bookshop della Scuola Grande di San Rocco, fornendo all'istituzione servizi di consulenza nei diversi ambiti della sua attività. La libreria si è inoltre ampliata, con l'acquisizione di due locali limitrofi che oggi ospitano una galleria d'arte specializzata in artisti veneziani e uno spazio pensato per il sostegno a giovani startup locali, il Lineadacqua Lab.

A diciotto anni dalla fondazione, il gruppo Lineadacqua dà lavoro a una ventina di collaboratori – tutti di giovane età e professionisti del settore editoriale – e guarda con rinnovata ambizione a un futuro in cui il sogno di quel giovane veneziano possa trasformarsi sempre più in una realtà solida.

Libreria MarcoPolo
campo Santa Margherita, Dorsoduro 2899
isola della Giudecca, fondamenta del Ponte Piccolo, 282

Contatti: tel. 0418224843 (campo Santa Margherita); tel. 0418473867
(Giudecca)
Web: www.libreriamarcopolo.com
www.facebook.com/libreria.marcopolo
www.instagram.com/libreria.marcopolo
twitter.com/booksmarcopolo
Tipologia: QUEER, nel significato originale del termine (strano, eccen-
trico) e nel significato attuale (rifiuto di limitarsi a una qualsiasi cate-
goria per definirsi)

Mi chiamo MarcoPolo e sono una libreria. Sono nata nel 2015 in una
sera di luna piena al suo perigeo. Mi trovate in campo Santa Margherita, tutti i veneziani conoscono questo campo (si chiamano così le piaz-
ze a Venezia): agli inizi del Novecento era il luogo centrale della Venezia popolare, un quartiere rosso, poi negli anni ottanta diventa il primo
luogo di movida veneziana, grazie anche agli studenti delle università
che cingono il campo come una corona. Ancora adesso è uno dei posti
più vivi e veri della città, dove convivono residenti, studenti e turisti:
veneziani da una vita, per un po' di anni, per qualche giorno. Li vedo
quando passano da me e li accolgo volentieri, seduti sulle due panche
rosse e mentre si aggirano tra gli scaffali.
Mi piace quando i bambini corrono dentro a giocare col cavallino nella stanza dei libri illustrati, quando gli universitari si danno appunta-
mento "alla MarcoPolo", quando qualche coppia si scambia effusioni
nella sala saggia. Mi piace tutto questo movimento, di persone, di libri,
di idee. I miei tre librai, Claudio, Sabina e Flavio, si prendono cura di
me e io di loro, ogni giorno facciamo del nostro meglio per essere interessanti, perché qualcuno abbia voglia di oltrepassare la soglia e curiosare fra i libri. Ci sono sere in cui ci riusciamo anche troppo, e non ci si
passa più tanta è la gente venuta a sentire lo scrittore che parla del suo
ultimo libro, o i poeti che si sfidano a colpi di versi.
Poco più di due anni fa è nata mia sorella, nell'isola della Giudecca,
un posto dove le librerie non c'erano mai state, e anche di lettori ce
ne sono pochini...
Mia sorella e io siamo le dichiarazioni d'amore che i miei librai hanno voluto fare a Venezia, infatti hanno scoperto che augurare "Buona
lettura" ha lo stesso effetto di "Ti amo".

Libreria Mare di carta
Sest. Santa Croce 222, fondamenta dei Tolentini

Contatti: tel. 041 716304; info@maredicarta.com
Web: www.maredicarta.com
www.facebook.com/maredicarta/
www.instagram.com/maredicarta1997/
www.youtube.com/channel/UCSFemlmcawZOBQQryJZ6HTQ
www.pinterest.it/maredicarta/
Tipologia: specializzata in nautica e marineria

Primavera 1997, si alzano le serrande per la prima volta: la libreria è piccola, eppure i primi mesi sembrava enorme per la fatica di scegliere i titoli giusti, in modo da coprire tutti i temi, e poi piano piano si è riempita, è diventata quella di oggi, un denso concentrato di libri e mappe dedicati all'acqua e al mare. Si passa attraverso tutti i temi: navigazione, storia, costruzione navale, modellismo, ma anche la natura marina, la subacquea e l'apnea, e chi più ne ha più ne metta. Perché una libreria specializzata cresce anche grazie ai suoi clienti, che con le loro richieste ci fanno conoscere autori ed editori che arrivano da lontano, spesso da altri mari. Oppure editori molto vicini, ma poco distribuiti e tutti da scoprire.

Da non dimenticare i tanti professionisti che frequentano la libreria: comandanti, marittimi, società di navigazione e agenzie marittime, con i quali le riflessioni sono molto tecniche, ma altrettanto stimolanti. Il tutto nelle mani di libraie "vere", intendendo per "vero" libraio quello che conosce tutti i libri che ha a scaffale e che riesce a consigliare il lettore.

Alla fine ci ritroviamo sempre a "fare salotto", semplicemente con gli amici o i lettori, oppure organizzando incontri con gli autori... Sempre sul filo dell'entusiasmo e della passione, e vivendo i problemi – come l'acqua alta di novembre 2019 – come sfide.

Living in the past
Dorsoduro 3474

Contatti: tel. 32862154141; chenarcao@gmail.com
Web: evenice.it/living-past
www.facebook.com/Living-in-the-past-Vinyl-Recordsold-books-226509384165295/
Tipologia: dischi di vinile, cd musicali, libri usati d'occasione e da collezione, memorabilia cartacea (vecchie cartoline, poster, gadget, segnalibri, brochure, dépliant ecc.), vecchi giocattoli, oggettistica vintage, autografi, vecchie fotografie...

Il negozio è stato avviato circa un decennio fa. È una modesta piccola impresa, dedicata alla raccolta e vendita di materiale del passato – proveniente prevalentemente dal Novecento, senza tuttavia escludere cose comparse nel giovane secolo corrente.
La varietà dell'assortimento deriva dalla scelta del titolare di raccogliere tutto ciò che rappresenta un linguaggio e una testimonianza: che si tratti di lettere, musica, grafica, dell'uso originario di certi materiali o delle rappresentazioni iconografiche di un determinato periodo, di una forma di pensiero, di un movimento di idee e di prospettive. E molto altro.

Libreria Miracoli
Cannaregio 6062, Campo Santa Maria Nova

Contatti: tel. 0415234060; cell. 331 5674079; info@duebeunac.191.it
Tipologia: libri fuori stampa e usati

Da circa quindici anni la libreria è gestita da Claudio, affiancato da Carla e Veronica nel 2007.
Partita trattando libri nuovi, remainders e usati, nel corso degli anni si è focalizzata sul libro di seconda mano e fuori stampa, comprando direttamente dai privati. La libreria tratta anche stampe / cartoline usate e nuove. Il suo obiettivo è cercare un giusto equilibrio tra passato e futuro, guardando al commercio online ma mantenendo un rapporto personale con il cliente abituale, senza per questo trascurare il cliente/turista occasionale; offre inoltre una vasta scelta di libri su differenti argomenti e in diverse lingue.

Ponte dei Sogni
Castello 3473

Contatti: tel. 0415203057
Web: www.facebook.com/pontedeisognivenezia
Tipologia: articoli da regalo e cartolibreria

Dove si possono trovare a Venezia un Gioco dell'Oca in Gondola, un Pinocchio e un gatto che si perdono tra le calli, una gondola incantata che vola sui palazzi dell'amata Serenissima, nonché un articolo unico come la meravigliosa Giocondola? Presso uno degli ultimi negozi di articoli da regalo e libri per bambini presenti nel cuore di Venezia: il Ponte dei Sogni. Punto di riferimento per l'intero sestiere di Castello, è una realtà a conduzione familiare che da dodici anni rappresenta la meta preferita di bimbi e adulti provenienti da ogni parte del mondo, di chiunque sia in cerca di quella originalità creativa ormai davvero rara.

Oltre agli inimitabili e sicuri giocattoli in legno dell'Alto Adige, al Ponte dei Sogni si possono acquistare libri illustrati (come *Pinocchio a Venezia, La Gondola di Noè, I Tre porcellini a Venezia, La Sirenetta a Venezia*, o avventure come *Venezia e il Segreto della Piramide* o *Alice nella Venezia delle Meraviglie* per i più piccoli; *Acquerelli di Venezia* con pesci e barche per i più grandi), libri da colorare (animali, maschere, cani, gatti, ponti e palazzi), nonché giochi da tavolo inerenti alla storia della città (come il Memory o il Domino, ma soprattutto il Gioco dell'Oca in Gondola, per imparare i nomi e i luoghi tipici della città, o il Gioco dei Mestieri di una volta, per far riscoprire ai piccini le arti d'un tempo): tutti articoli unici che valorizzano il patrimonio e la storia della leggendaria città lagunare, nati dalla pazienza e dall'ingegno della famiglia Ghidòli. Da Giuliana Ghidòli, proprietaria dello storico negozio a due passi da San Marco, nasce infatti l'idea della Giocondola, l'unica gondola decorativa in legno dipinta con colori acrilici e a misura di bambino, di recente realizzata anche in apprezzate declinazioni su stoffa come doudou, zainetti e borse decorate: tutti prodotti originali rigorosamente fatti a mano.

Libreria antiquaria Segni nel Tempo
Dorsoduro 2856

Contatti: tel. 041722909; 3401447861
Web: www.maremagnum.com/librerie/libreria-antiquaria-libreria-antiquaria-segni-nel-tempo
www.facebook.com/Segnineltempolibriantichivenezia/

Mi chiamo Federico Bucci e dal 1999 mi occupo di libri, stampe e incisioni antiche. Sette anni fa decido di trasferirmi a Venezia per aprire la mia libreria antiquaria. Perché Venezia? Perché è stata per secoli la patria dell'editoria e ha accolto i più importanti stampatori e librai tra Cinque e Ottocento, perché vi sono stati prodotti i più bei libri dal Rinascimento in poi.

Nella mia libreria si possono trovare edizioni antiche, rare e fuori commercio di ogni tematica, ma con un cospicuo nucleo di libri inerenti alla storia della città. Più che un libraio, mi sento un Cupido che fa da trait d'union tra i libri e i collezionisti e gli amatori. Capita a tutti di entrare in una libreria per acquistare un libro e, come attratti da una forza sovrannaturale, essere "chiamati" da altri libri allineati negli scaffali e acquistarne due se non tre. Ecco, il libraio è per me un Cupido che fa scaturire l'amore tra il libro e il lettore. Il libro antico ha per me un fascino particolare, mi piace pensare alle mani che lo hanno sfogliato, agli occhi che lo hanno letto, ai proprietari che lo hanno posseduto nei secoli, che lo hanno amato e protetto dal passare del tempo, dalle guerre, dagli incendi, dalle inondazioni, dall'incuria. I librai sono anche i depositari della cultura e della memoria, poiché noi siamo ciò che leggiamo e deriviamo dai nostri libri.

S.I.B. Libreria Studium
San Marco 337

Contatti: tel. 0415222382; 0412775750; info@libreriastudium.eu
Web: www.libreriastudium.eu
www.facebook.com/libreriastudium
Tipologia: narrativa e saggistica in lingua italiana, narrativa e libri illustrati per l'infanzia, libri in lingua straniera, saggistica religiosa

La libreria Studium inizia la propria attività a metà degli anni quaranta del secolo scorso, nel cuore della città, adiacente alla Basilica di San Marco. Nata con una forte connotazione per l'editoria religiosa, cui era dedicato molto spazio, nel corso degli anni ha sempre più diversificato la propria proposta, introducendo dapprima una sezione di narrativa e saggistica e successivamente un'intera area riservata alla letteratura per l'infanzia. In parallelo si è deciso di ampliare in modo significativo l'offerta di libri sulla storia e cultura di Venezia, a tutt'oggi punto di forza dell'offerta.
In tempi di turismo meno invasivo, quando in città la presenza di residenti era assai più consistente, la libreria era un luogo di confronto e di riferimento per una pluralità di voci e per i loro contributi in ambito culturale, tanto che l'attività libraria fu presto affiancata da una casa editrice – lo Studium Cattolico Veneziano – che avviò la pubblicazione di studi di notevole rilievo sulla storia della chiesa veneziana, in particolare dedicati alla Basilica di San Marco.
Nel corso degli ultimi decenni, soprattutto a partire dal 2007 – anno del restauro del palazzo che la ospita –, la libreria Studium ha saputo adattarsi alle mutate esigenze della clientela, modificando e ampliando il reparto di libri in lingua straniera (inglese, francese, tedesco e spagnolo), con particolare riguardo alla storia e cultura della città e alle traduzioni di autori italiani, classici e contemporanei, e di guide turistiche. Si è inoltre potenziata la narrativa per l'infanzia, rafforzato il reparto religioso originario ed è stata introdotta una nuova sezione dedicata alla musica.
Attualmente la libreria ha quattro dipendenti, due donne e due uomini (parità di genere!).

Libreria Toletta
Dorsoduro, 1213

Contatti: tel. 0415232034; info@libreriatoletta.it
Web: www.latoletta.com
www.facebook.com/LibreriaToletta
Tipologia: varia

All'inizio degli anni trenta Angelo Pelizzato, classe 1903, decise di trasformare la sua passione, i libri, in un mestiere: dapprima aprì una bancarella e vi mise in vendita la propria biblioteca personale, poi – nel settembre del 1933 – fondò un piccolo negozio di libri usati, in Sacca de la Toletta a Dorsoduro. Circondata da scuole, gestita con passione, grazie anche all'accortezza di pagare meglio degli altri i libri usati, la Toletta parte col piede giusto.

Negli anni della guerra Angelo, iscritto al Pci dal 1922, decide di fare la sua parte: alla Toletta, ben nascoste tra gli scaffali, ci sono armi per i partigiani e stampa clandestina. Ci sono anche, a centinaia, i libri della casa editrice più prestigiosa di quei tempi, la Laterza; Angelo li ha acquistati un po' alla volta come bene rifugio, per sfuggire all'inflazione. Non oro o immobili: libri. Libri di grande valore, soprattutto dopo che la stessa Laterza, i cui depositi a Bari erano stati danneggiati dai bombardamenti alleati, ne risultava sprovvista!

Tutti a Venezia ricordano di aver comprato o venduto alla Toletta i libri di scuola, magari facendo la coda che, nel mese clou di settembre, doveva essere regolata da un vigile. Negli anni cinquanta ad Angelo si affiancano i due figli, Lucio e Maurizio; sugli scaffali della libreria, che intanto si è un po' ingrandita, compaiono i primi BUR.

Nei primi anni settanta, l'idea vincente: proporre agli editori grossi ordini di titoli di "centro catalogo", ottenendo così consistenti sconti, per poi offrire ai clienti riduzioni del 40 o 50 per cento. È in questo modo che la Toletta inizia a farsi un nome anche fuori Venezia e che, nel 1985, raddoppia lo spazio espositivo assumendo le dimensioni attuali.

Dagli anni novanta la Toletta diventa la libreria di riferimento in città, aprendo alle novità ma mantenendo sempre quell'originalità nella scelta che ancora oggi la contraddistingue.

A Venezia tutto cambia velocemente, quasi mai in meglio. La Toletta però rimane: con il suo fascino démodé, con le sue occasioni, con la sua voglia di mantenere un presidio culturale unico in una città che fatica sempre più a riconoscersi come "normale".

Indice